Mémoires d'un dur à cuire

Du même auteur chez Québec Amérique

Mario Tremblay : le bagarreur, biographie, 1997

Avions, hôtels… et Glorieux : un an dans les coulisses du Canadien
anecdotes, 1998

Michel Bergeron, à cœur ouvert, biographie, 2001

*Paroles d'hommes, entretiens sur la vie, la mort, la société et… les
femmes !* essai, 2002

MÉMOIRES D'UN
DUR À CUIRE

Les dessous de la LNH

Mathias Brunet

LES INTOUCHABLES

Les Éditions des Intouchables bénéficient du soutien financier de la SODEC, du Programme de crédits d'impôt du gouvernement du Québec, du PADIÉ et sont inscrites au Programme de subvention globale du Conseil des Arts du Canada.

LES ÉDITIONS DES INTOUCHABLES
2316, avenue du Mont-Royal Est
Montréal, Québec
H2H 1K8
Téléphone : (514) 526-0770
Télécopieur : (514) 529-7780
www.lesintouchables.com

DISTRIBUTION : PROLOGUE
1650, boulevard Lionel-Bertrand
Boisbriand, Québec
J7H 1N7
Téléphone : (450) 434-0306
Télécopieur : (450) 434-2627

Impression : Transcontinental
Photographie de la couverture : Denis Courville
Photographie des auteurs : Bernard Brault
Photographies intérieures : Michel Tousignant
Infographie et conception de la couverture : Benoît Desroches

Dépôt légal : 2005
Bibliothèque nationale du Québec
Bibliothèque nationale du Canada

ISBN 2-89549-162-3

À Stéphane Morin, mort au combat.

Préface

En se confiant à Mathias Brunet, l'ex-hockeyeur du Canadien, Dave Morissette nous ouvre dans ce livre une perspective unique sur l'évolution d'un jeune sportif à l'intérieur du *système* de développement du hockey d'élite, notre sport « national », notre fierté. Un jeune Québécois comme il en existe des centaines, animé d'un seul rêve, omniprésent, dévorant : jouer dans la Ligue nationale de hockey.

Dave était prêt à tout, portant sur ses épaules le poids des sacrifices consentis par sa famille, tourmenté par l'angoisse de décevoir, par la honte de faillir, aveuglé par ce rêve qui pourtant se défaisait, se rétrécissait plus il s'en rapprochait. De la LHJMQ à la Super ligue d'Angleterre, en passant par le purgatoire des ligues professionnelles, américaine, internationale et *East Coast*, et le Canadien, Dave Morissette, le dur à cuire, a pris tous les moyens pour se faire une place, allant même jusqu'à se doper dès l'âge de 19 ans ; il a payé de son corps.

Si j'ai accepté de signer la préface et les commentaires à la fin de ce livre, c'est avant tout par solidarité pour Dave, cet homme qui ose briser le silence entourant une certaine culture du dopage, présente dans ce sport comme dans bien d'autres.

Dave lève enfin le voile sur ces pratiques inacceptables. Maintenant, impossible de nous fermer les yeux, nous savons et nous devons exiger que cesse cette violence faite à nos jeunes.

Christiane Ayotte, Ph.D.
Professeur et Directrice du laboratoire
de contrôle du dopage
INRS-Institut Armand-Frappier

AVANT-PROPOS

Dave Morissette n'a pas joué très longtemps avec le Canadien de Montréal. Seulement 11 matchs répartis sur deux saisons, entre 1998 et 2000, le temps de récolter 57 minutes de punition et bien des coups. Il n'a jamais obtenu le moindre point dans la Ligue nationale de hockey.

Et pourtant, il était l'un des joueurs les plus populaires de l'équipe à l'automne 1998, plus encore que les Saku Koivu, Vincent Damphousse et autres vedettes du club. Les médias s'arrachaient le *Moose*, la foule lui a même offert la plus longue et vibrante ovation de la séance publique d'entraînement qui s'est tenue un mois après le début de sa première saison avec le Canadien.

Les gens se reconnaissaient dans ce hockeyeur aux origines modestes, né 26 ans plus tôt à Québec et élevé à l'ombre de l'usine Reynolds de Baie-Comeau. Morissette accédait finalement à la LNH après des années de galère dans les ligues mineures, réalisant enfin son rêve de toujours, le rêve de milliers d'enfants québécois. Il était emballé comme un enfant, justement, à l'idée de porter le chandail du Canadien, de s'asseoir à côté du capitaine Vincent Damphousse dans le vestiaire et d'avoir son nom inscrit au-dessus de son casier. Et c'est tout candidement qu'il partageait son enthousiasme avec qui voulait l'écouter.

Avec lui est entré un vent de fraîcheur dans l'univers stressé du Canadien, à une époque où on y parlait davantage de négociations de contrats que de buts. Shayne Corson, Martin Rucinsky, Brian Savage, Vladimir Malakhov et Saku

Koivu étaient tous absents du camp d'entraînement en raison de disputes contractuelles. Dave Morissette, lui, se pinçait pour s'assurer qu'il ne rêvait pas. Le contraste était vraiment saisissant.

Ce gentil colosse avait du charisme ; à l'aise avec les journalistes, il évitait ces clichés que nous rabâchaient constamment certains de ses collègues. J'en étais à ma quatrième année de couverture du Canadien pour *La Presse* quand je l'ai interviewé la première fois, au camp d'entraînement. J'ai vite été conquis, comme la plupart de mes confrères. D'ailleurs, les bagarreurs sont souvent les joueurs les plus sympathiques hors de la patinoire.

Dans les médias, nous étions heureux de le voir arriver dans l'organisation du Canadien. Nous espérions tous qu'il resterait avec l'équipe car il était un interlocuteur intéressant, franc et dynamique qui s'exprimait avec aisance. Et nous souhaitions que cet homme au parcours difficile dans les mineures ait une carrière heureuse dans la LNH, pour ce qu'il lui restait d'années à jouer les durs à cuire sur la glace.

Je connaissais peu Dave Morissette, mais il avait tout de même été le seul joueur du club, avec Stéphane Quintal, à assister au lancement de mon deuxième livre sur le hockey, *Avions, hôtels et… Glorieux!* C'était rare de voir un joueur de hockey assister à un lancement de livre de journaliste. Il s'était montré très sympathique et avait jasé avec presque tous les invités de cette soirée ; personne n'était resté indifférent. Je trouvais qu'il avait le don de mettre les gens à l'aise, et même en valeur dans une conversation.

Malheureusement, son rêve n'a pas duré bien longtemps. Il a été renvoyé dans les mineures quelques mois après son entrée dans la Ligue nationale. Le chroniqueur Ronald King, de *La Presse*, a bien résumé la réaction des journalistes à ce moment-là : « Les médias avaient trouvé en lui un personnage intelligent, coloré, chaleureux et d'une drôlerie comme on en voit rarement chez les hockeyeurs. On l'a vu dans des émissions de variétés autant que de sports. Lors de la journée *Ronald McDonald* au Centre Molson dimanche dernier, Dave Morissette a été, et de loin, le favori des 20 000 jeunes présents. Notre chou-chou est parti et il a une longue côte à remonter. »

Nous l'avons tous plus ou moins perdu de vue par la suite, mais personne n'avait oublié *Moose*. Je l'ai revu au cours de l'hiver 2004, quand je l'ai interviewé pour une série de documentaires télé sur la violence dans le sport. Après le tournage, nous en avons profité pour nous remémorer le bon vieux temps. Au fil de la conversation, il m'a fait découvrir une facette plus troublante de sa carrière et de l'univers sportif : ses nombreuses commotions cérébrales, sa consommation de stéroïdes et de stimulants, ses pénibles conditions de vie dans les mineures, sa santé foutue et ses angoisses à la suite de la mort prématurée de quelques bons copains hockeyeurs, foudroyés dans la force de l'âge par une crise cardiaque.

Ses confidences m'ont profondément touché. Ému par tant de candeur, je lui ai dit spontanément que cela ferait un livre fascinant. Son regard s'est illuminé. Il rêvait de raconter sa vie, de partager ses expériences avec les jeunes athlètes et, surtout, de les mettre en garde contre les pièges du milieu. Il avait déjà accumulé des centaines de pages manuscrites, des notes glanées au fil des ans, des aide-mémoire consignés sur des bloc-notes d'hôtel, les jalons d'une carrière mouvementée.

Au cours des mes entretiens avec Dave, j'ai entendu des secrets ahurissants, des histoires invraisemblables, mais aussi des anecdotes drôles et des réflexions touchantes. Grâce à sa grande sensibilité et à sa franchise, il a levé le voile sur un monde que je ne connaissais guère, malgré mes dix ans de métier à suivre, explorer, décrire et analyser le hockey de la LNH. Bien des hockeyeurs pourraient raconter leur carrière, mais peu d'entre eux sauraient s'ouvrir avec autant d'honnêteté, de profondeur et d'intelligence.

Dave Morissette n'a pas eu une grande carrière avec le Canadien, mais la vie de ce petit gars timide devenu un dur à cuire du hockey professionnel est un véritable roman.

Alors, bonne lecture,

Mathias Brunet

Chapitre 1

MES PREMIÈRES ARMES

Je me suis battu toute ma vie. Très tôt, j'ai appris à lutter contre l'adversité. Déjà, dans le ventre de ma mère, j'avais deux prises contre moi. Mes parents étaient jeunes, à peine 20 ans, et sans argent. Ils avaient une petite fille de deux ans, ma sœur Nancy, mais n'avaient même pas les moyens de la garder à la maison. Elle vivait chez nos grands-parents maternels, les Fortin. Mes parents ont songé à l'avortement avant de décider de me garder. Grâce à eux, je peux vous raconter mon histoire aujourd'hui…

C'est peut-être pour les en remercier que j'ai choisi de venir au monde la veille de Noël 1971, à Québec. Je suis né costaud. Je pesais dix livres à la naissance. J'ai pu rester avec mes parents parce que mon père, Alan, avait réussi à se trouver un boulot dans un dépanneur, ce qui lui a permis de nous louer un appartement. Mais son maigre salaire ne suffisait pas ; mes grands-parents paternels nous aidaient à payer le loyer et, parfois, l'épicerie. Au moins, ma sœur a pu venir vivre avec nous. Quelques mois après ma naissance, mon père a reçu une nouvelle qui allait transformer la vie de notre famille. Il s'était trouvé du travail à l'usine d'aluminium Reynolds, à Baie-Comeau, et on a tous déménagé là-bas.

On ne roulait vraiment pas sur l'or. On habitait dans un grand ensemble d'appartements réservés aux familles des employés de la Reynolds. Il y avait trois blocs de douze logements, juste à côté de l'usine. On sentait la fumée de la

Reynolds de chez nous. On était déjà un peu à l'étroit — deux adultes et deux enfants —, imaginez à la naissance de mon petit frère Jason, quelques mois plus tard !

Mais à cet âge-là, on ne regarde pas la grandeur des appartements et on ne s'attarde pas à la fumée de la Reynolds. On veut s'amuser, et j'étais bien servi à ce chapitre. Il y avait un lac à deux pas de chez nous et un aréna devant notre immeuble. Et comme presque tous les employés avaient des enfants, je ne manquais pas d'amis. Ce n'était pas très compliqué de s'organiser des parties dans la rue. Il suffisait de cogner à quelques portes dans notre bloc et la gang était trouvée. Un vrai paradis.

C'est souvent dans la rue qu'on reçoit ses premières leçons de vie. J'ai appris à me défendre pendant un match amical de « hockey-bottines » devant le bloc. Je devais avoir sept ans. Je jouais contre des plus vieux et ils m'intimidaient beaucoup même si j'étais plus grand que la plupart d'entre eux. À un moment donné, il y en a un qui m'a arraché le bâton des mains et a refusé de me le rendre. J'étais bien malheureux. Je suis rentré à la maison la tête basse et j'ai tout raconté à mon père. Il a regardé le groupe de jeunes par la fenêtre du salon et il s'est accroupi pour me parler : « Dave, t'es plus grand que lui et même si t'es plus jeune, ça veut pas dire que t'es moins fort. Va reprendre ton bâton et fais-lui peur, je te regarde d'ici... »

Je suis retourné dans la rue et quand je suis arrivé à la hauteur du gars, je me suis soudain rendu compte qu'il était effectivement plus petit que moi. Je me suis approché de lui pendant qu'il jouait et je lui ai arraché le bâton des mains à mon tour. Sous l'impact, il est tombé par terre. Il est resté surpris. Tous les autres « grands » me regardaient d'un air étonné.

Plus personne n'a osé voler mon bâton après ça. Je me suis même permis de pousser un peu pendant nos matchs, même les plus vieux. Je venais de monter d'un cran aux yeux de tout le monde. C'est une leçon que je n'ai jamais oubliée et qui allait me servir plus tard dans ma carrière de hockeyeur. Si mon père m'avait dit de rester à la maison et était allé chercher le bâton à ma place, ça aurait pu changer bien des choses à mon destin.

Peu après, je me suis mis à rêver de jouer dans une vraie équipe. Je voyais mon ami de l'appartement voisin partir régulièrement pour l'aréna et je l'enviais. Le hockey dans la rue c'était bien, mais je voulais de nouveaux défis. J'avais du talent dans les sports et je dépassais d'au moins une tête les autres gars de mon âge. Mais quand ton père a trois enfants et que le revenu familial ne dépasse pas 300 $ par semaine, tu n'es pas automatiquement inscrit dans une équipe de hockey organisé.

Puis un jour, devant mon insistance, mes parents ont décidé de gratter les fonds de tiroir et de m'enregistrer dans une ligue. J'avais huit ans et je me débrouillais déjà sur mes patins, car mon père me l'avait appris sur le lac. Je suis donc allé avec ma mère, Reine (Fortin), à une vente d'équipement usagé à l'aréna où j'ai déniché une paire de culottes bleues beaucoup trop courtes pour moi et un casque. J'avais déjà des patins, des gros patins à tuyau. Une fois à la maison, j'ai enfilé mon équipement et l'ai gardé sur moi toute la soirée. Mes parents ont dû me faire des gros yeux pour que je l'enlève avant d'aller me coucher.

Le lendemain, c'était la première pratique. J'étais pas mal nerveux. Et très intimidé. Je ne connaissais personne car l'équipe dans laquelle j'étais inscrit se trouvait dans une autre paroisse. La pratique a commencé et j'étais probablement l'un des pires joueurs sur la glace. Je voyais bien que tous les autres enfants avaient déjà joué au hockey en patins avec une rondelle, et en équipe. Je n'avais aucune technique pour les exercices de patinage. L'entraîneur s'appelait Gilles Tremblay (pas l'analyste de *La Soirée du hockey*); c'était un monsieur sévère qui nous donnait des coups de hockey sur les fesses pour qu'on avance plus vite. Je n'étais pas très bon, mais je me rappelle m'être dit en rentrant à la maison que c'était vraiment le métier que je voulais faire…

J'étais fier parce que j'étais l'un des seuls enfants de l'immeuble de la Reynolds, avec mon voisin, à jouer au hockey organisé. Je n'ai pas lâché malgré mes petits problèmes de patinage et le manque d'amis. Ma mère me déposait à l'aréna et j'avais l'impression de me retrouver dans un autre univers. J'étais un petit gars très gêné dans la vie, très renfermé, tellement que j'étais parfois incapable de parler quand je rencontrais des gens. Mais sur la glace, je devenais un autre. Patiner, compter des buts, ça me valorisait, ça me rendait important.

Mes parents sont venus me regarder jouer et ils ont vu que je m'étais amélioré. J'étais même assez bon. Mon père a alors décidé de m'acheter des culottes de la bonne taille pour remplacer les petites bleues. Je ne sais pas si elles étaient neuves ou pas, mais je me souviens qu'elles m'allaient bien et que j'étais content. J'ai aussi eu droit à un casque neuf, un CCM de l'année, le gros modèle. C'était le *fun*. Mes parents venaient me voir à l'aréna et je comptais des buts.

J'étais un bon compteur dans les rangs pee-wee et bantam. Je comptais beaucoup, beaucoup de buts, et les choses ont commencé à devenir plus sérieuses. Mon entourage voyait mon potentiel. Je me suis mis à prendre toute la place dans la famille et mon père a emprunté pas mal d'argent pour que je puisse continuer à jouer et à me perfectionner. Mes parents me suivaient partout, aux entraînements, aux matchs l'hiver et aux écoles de hockey l'été, aussi loin qu'à Drummondville. Ça nous obligeait parfois à rester au motel pendant toute une semaine. J'aimais recevoir toute cette attention, mais ça me mettait un peu mal à l'aise en même temps. Quand je pense à ma sœur aînée et à mon petit frère, je me dis que ça ne devait pas être facile pour eux. Mon père s'arrangeait pour me payer des cours de hockey à 300 $, alors qu'il gagnait à peine ça en une semaine.

À 14 ans, je croyais vraiment en mes chances de jouer dans la Ligue nationale. J'étais peut-être un peu naïf, mais ça me faisait du bien de rêver. Il y avait toujours des piles de *Lundi* qui traînaient dans la maison et je dévorais les reportages sur les joueurs de hockey. Ça me motivait encore plus.

Mon père a aussi pris les moyens pour que je me développe physiquement. Je le remercie aujourd'hui. Il m'a acheté des poids et haltères alors que je jouais dans les rangs bantam et un des entraîneurs culturistes, Jules Tremblay, m'a montré comment m'entraîner. On a installé le banc et les poids dans la cave de l'immeuble, et j'étais obligé de faire mes exercices tous les soirs. Si je ne «faisais» pas mes poids, je ne soupais pas. Mon père venait toujours s'en assurer. J'avais plusieurs exercices: le *bench*, une routine pour les jambes, une pour les épaules et quelques autres mouvements pour les différentes parties du corps.

C'était du hockey dur à Baie-Comeau. Il y avait une grande rivalité entre Baie-Comeau et Hauterive. On les haïssait, on les appelait les « Allemands ». Eux, ils nous appelaient les « jaunes ». Il y avait parfois des bagarres après les parties. Mais je ne me battais pas du tout à l'époque. Il m'arrivait par contre de brasser mes adversaires sur la glace. J'étais un grand maigre, mais ça ne m'empêchait pas de distribuer ma part de mises en échec. J'aimais frapper. Ça me défoulait et ça me valorisait en même temps. Comme je le disais, on demeurait dans les blocs de la Reynolds, on était trois enfants, mes parents n'avaient pas beaucoup d'argent… Je n'ai jamais manqué de rien, mais sur la glace je devenais quelqu'un d'important. Je comptais, je frappais, je prouvais aux plus vieux que je pouvais appartenir à leur gang. Tu fais un but, ton équipe gagne, les gars te félicitent sur le banc, il n'y a plus de différences, plus de classes sociales.

J'étais aussi très valorisé aux yeux de mes amis. J'étais fier d'avoir mon *jacket* d'équipe. Je me rappelle mon blouson pee-wee CC, le Fleur de lys de Baie-Comeau. Ça voulait dire que j'appartenais à l'élite de Baie-Comeau. Je me sentais comme le *king* de Saint-Georges. C'est là que j'ai commencé à défendre les plus jeunes quand je jouais dans la rue.

Je continue à produire dans les rangs bantam, puis un soir, le téléphone sonne vers huit ou neuf heures à la maison. Guy Charron, l'entraîneur des Frontaliers de Hull, dans la Ligue midget AAA, m'apprend que l'équipe vient de me repêcher et m'invite au camp d'entraînement. Je suis fou comme un balai. C'est la grosse affaire pour moi. Charron est un ancien joueur de la LNH qui deviendra par la suite entraîneur pour des clubs professionnels, puis adjoint de Claude Julien à Montréal pendant quelques saisons.

L'idée d'aller au camp des Frontaliers me motive au maximum. Je m'entraîne comme un maniaque. Je n'ai rien d'autre dans la vie. Ça va quand même bien à l'école, mais le hockey est tout pour moi. Je fais sans arrêt des poids et haltères, de la course à pied. On s'arrange aussi pour que j'aille habiter chez ma tante Pauline, qui demeure dans la région de l'Outaouais. Je ferai la belle vie chez ma tante car je pourrai manger tout ce que je veux, même — mon rêve d'enfant — une pleine boîte de petits gâteaux à moi tout seul !

C'est une grande aventure pour moi. D'autant plus que je n'ai jamais vraiment voyagé. Quand j'arrive au camp d'entraînement, je reconnais déjà quelques visages. Il y a Patrick Caron, mon modèle d'enfance, que j'ai toujours suivi dans les programmes de hockey mineur et avec qui j'ai eu la chance de jouer pendant quelques saisons; et aussi Daniel Vigneault, un autre gars de Baie-Comeau. C'était déjà mieux parti qu'à ma toute première pratique, à huit ans…

Le hockey est différent dans les rangs midget. C'est plus robuste, plus sérieux. Curieusement, sans que je sache pourquoi, c'est à cette époque que j'ai changé d'idoles. Plus jeune, je voulais imiter Guy Lafleur ou Mario Tremblay. Puis j'ai commencé à admirer les bagarreurs de la Ligue nationale, en particulier Chris Nilan et John Kordic, du Canadien. J'aimais bien les regarder se battre à la télé. Je devais avoir 14, 15 ans. J'étais impressionné de voir à quel point Nilan semblait toujours décontracté quand il se battait. Pourtant, je ne me battais jamais dans ce temps-là. Ni sur la glace, ni dans la rue. Mais ces durs à cuire sont devenus mes nouvelles idoles.

Malgré les soins de ma tante, mon séjour à Hull a été difficile. J'ai connu un bon camp d'entraînement et j'ai réussi à rester avec l'équipe, mais j'étais loin de chez moi et je m'ennuyais de mes *chums*. J'étais encore un enfant et je me sentais devenir un homme trop rapidement. Ça demandait beaucoup de sacrifices. J'appelais souvent à Baie-Comeau pour prendre des nouvelles de mes amis. Sur la glace, ça fonctionnait plus ou moins bien. Je ne produisais pas beaucoup. Sans parler de l'école, que je fréquentais rarement.

Finalement, j'ai été renvoyé à Baie-Comeau, aux vacances de Noël. Ils m'ont dit que c'était à cause de mes résultats scolaires. Malgré mon échec à Hull, je me suis senti vraiment important à mon retour à Baie-Comeau parce que j'avais joué dans le midget AAA. Les organisateurs du hockey à Baie-Comeau m'ont fait jouer dans le midget CC, mais le calibre n'était pas vraiment fort et il n'y avait pas beaucoup d'équipes. C'était quand même correct: tant que j'avais mes culottes des Frontaliers avec ses lignes jaunes, j'étais content…

C'était une période quand même pénible parce qu'inconsciemment je vivais une déception et qu'en plus, j'avais appris à mon retour que mes parents étaient sur le point de se séparer. Ça a été un choc. Je n'avais pas vu venir le coup parce que j'étais complètement déconnecté, vivant à Hull depuis quelques mois. Subitement, ma vie a changé du tout au tout. Le fait d'avoir connu une certaine indépendance à Hull, ajouté à la séparation de mes parents, me donnait soudain une nouvelle liberté à laquelle je ne m'attendais pas. Je pouvais faire ce que je voulais, même si je n'avais que 15 ans.

J'étais vraiment libre, je rentrais à l'heure que je voulais. Sans doute mes parents me voyaient-ils un peu plus vieux que je ne l'étais vraiment. Ma sœur avait quitté la maison à 14 ans et c'est moi qui étais devenu l'aîné. J'étais un peu déboussolé. J'étais déçu du hockey, aussi. Le calibre dans le midget CC ne me convenait pas. J'ai commencé à jouer dans des «ligues de garage» avec des adultes. C'est là que je me suis mis à sortir le soir et à boire de la bière en cachette. Il n'y avait pas grand-chose d'autre à faire à Baie-Comeau. Je ne m'entraînais presque plus; disons que le rêve de la Ligue nationale s'estompait.

Un bon soir, je m'apprêtais à quitter la maison pour participer à un tournoi avec une équipe d'*old timers* du *Saint-Léger*, un bar de Baie-Comeau. Je me rappelle encore la scène, mon père avait piqué une crise. Son gars de 15 ans s'en allait jouer pour un club associé à un bar. Je me souviens qu'il avait dit à ma mère que je ne ferais jamais rien de bon dans la vie. Ça m'avait fouetté. Je suis quand même allé au tournoi ce soir-là, en me disant que je devais quitter Baie-Comeau au plus vite et pour de bon. J'y suis resté tout l'hiver mais dans ma tête, j'étais déjà ailleurs.

Quand l'été est arrivé, j'ai recommencé à m'entraîner sérieusement et mon père a trouvé l'argent pour embaucher un *coach* personnel afin de m'épauler. C'est le meilleur entraînement que j'ai eu de ma vie. On s'entraînait pour vrai, avec des étirements et tout. On faisait des sauts, du cardio, des poids et haltères, trois fois par semaine.

Je m'entraînais fort parce que j'avais fini par me rendre compte de tous les sacrifices que faisaient mes parents. L'automne précédent, ils avaient accepté de payer 70 $ par semaine pour ma pension chez ma tante, alors que chaque goutte de lait qui se buvait dans notre appartement à Baie-Comeau était calculée — d'où mon rêve de pouvoir m'acheter une boîte de petits gâteaux pour moi tout seul! L'entraîneur personnel coûtait 30 $ par semaine. Je ne voulais pas décevoir mes parents. Ils investissaient dans mon avenir au lieu de se payer des vacances.

J'ai bien fait de consacrer autant d'efforts à l'entraînement cet été-là parce que peu de temps avant le début de la saison de hockey, j'ai été invité au camp de l'équipe du Québec réunissant les meilleurs joueurs midget AAA de la province. C'était une deuxième chance après la chute qui m'avait mené jusqu'à un tournoi de «ligue de garage» avec des *old timers*. Deuxième chance aussi parce que j'allais me retrouver dans une nouvelle équipe du midget AAA: les Cascades de Jonquière qui faisaient leur entrée dans la Ligue et avaient obtenu mes droits.

J'ai dû prendre quinze à vingt livres cet été-là sans avoir recours à des substances illégales. Je me suis pointé à Jonquière dans une forme extraordinaire. J'ai rapidement été nommé assistant capitaine et je suis devenu l'un des meilleurs joueurs de l'équipe. Je ne me rappelle plus combien de points j'ai obtenus, mais je frappais et je n'avais peur de personne.

J'ai aussi réussi à faire partie de l'équipe du Québec. Il y avait Yanic Perreault, Steve Larouche, Patrice Brisebois et Pierre Sévigny. C'était gros, l'équipe du Québec. J'étais vraiment fier. Mais encore là, il y avait des coûts énormes. Il y avait la pension à 70 $ par semaine, mais aussi l'équipement et les frais de déplacement de mon père qui me suivait partout. Un jour, j'ai voulu me procurer de grosses épaulettes. Je les ai commandées et j'ai envoyé la facture à mon père: 170 $! Il a capoté… mais il s'est arrangé. Cette année-là, mes patins étaient usés au max. Je n'avais presque plus de lames. Mon père a emprunté, emprunté et emprunté. Je ne sais pas comment il faisait pour arriver.

J'ai aussi eu de l'aide de ma sœur Nancy. Elle était devenue coiffeuse à Montréal et elle a commencé à m'envoyer de l'argent régulièrement. Certaines semaines, elle pouvait me donner jusqu'à 100 $. C'est incroyable qu'elle ait pu m'envoyer autant d'argent alors qu'elle n'avait que 17 ans. Nos liens étaient affectueux, très étroits. Plus jeune, elle avait manqué de certaines choses et elle comprenait ma situation. Elle voulait que je ne manque de rien. Cet hiver-là, j'ai prié tous les soirs pour que Dieu me donne la chance de jouer un jour dans la LNH.

J'ai acquis beaucoup de maturité au cours de l'année. Ce qui m'a beaucoup aidé, c'était de me retrouver dans une bonne pension, chez Gilles et Lina Dicaire qui avaient déjà deux filles à élever, en plus. J'y habitais avec le capitaine du club, Yannick Chiasson. Gilles travaillait comme soigneur pour les Cascades. On avait toujours de bonnes discussions sur le hockey et il me donnait des conseils judicieux. C'était agréable de rester dans une aussi grande maison. Je me suis toujours senti en famille chez eux.

J'ai été chanceux de pouvoir rester chez les Dicaire parce que je n'avais pas été aussi gâté à ma pension de l'été précédent, pendant le camp d'entraînement. Ils nous avaient envoyés, Yannick et moi, chez un homme qui mettait un cadenas sur son frigo. On habitait au sous-sol de sa maison en construction et la poussière nous tombait dans le visage. Il nous réveillait le matin pour qu'on ramasse des pierres parce qu'il se bâtissait un mur de maçonnerie. Je crois qu'il prenait des pensionnaires pour avoir de la main-d'œuvre gratuite.

Chapitre 2

MA CARRIÈRE DANS LE HOCKEY JUNIOR

Je me suis rapproché un peu plus de mon rêve de jouer dans la LNH l'été suivant, en 1988, durant le repêchage de la Ligue de hockey junior majeur du Québec. Je savais que je pouvais intéresser une équipe parce que l'entraîneur des Cataractes de Shawinigan, Joe Hardy, avait demandé à me rencontrer. Je ne connaissais pas du tout ma valeur «sur le marché». J'avais un bon physique, je travaillais fort, mais est-ce que ça allait suffire?

Je n'avais pas, non plus, été très encouragé par mon court *meeting* avec Joe. Quand je suis entré dans son bureau, il m'a dit de m'asseoir et m'a demandé comment je réagirais si je me retrouvais dans le vestiaire des Cataractes et que le dur à cuire de l'équipe, Enrico Ciccone, me demandait de me tasser parce que j'étais à sa place. Je ne savais pas pourquoi il me posait cette question. Je lui ai répondu: «Si Ciccone veut avoir ma place, c'est correct, mais c'est la façon de le demander qui compte. S'il le demande gentiment, je vais me tasser, mais s'il me traite en trou de cul, on va régler nos affaires sur la glace.» Il m'a remercié, fin de l'entrevue. J'avais aussi obtenu une rencontre avec Dany Dubé, qui était l'entraîneur des Draveurs de Trois-Rivières. L'entretien a été sympathique parce qu'il venait de Baie-Comeau comme moi.

Le repêchage avait lieu à l'aréna Maurice-Richard, dans l'est de Montréal, et je me souviens que j'étais vraiment très nerveux. J'avais fait le voyage de Baie-Comeau avec mon père et mon frère, et ma sœur était venue nous rejoindre. Le matin, le *Journal de Montréal* avait publié ses prédictions et j'étais tout fier de voir mon nom dans le journal.

Je n'avais pas encore de représentant, mais ça n'allait pas tarder. Je croyais en avoir un, en fait, mais il était virtuel. L'ancien joueur des Flyers, André Dupont, était venu me rencontrer quand je jouais bantam à Baie-Comeau et m'avait dit qu'il allait s'occuper de mes affaires, mais on ne s'en était pas reparlé depuis.

La veille du repêchage, il y a eu une grande réunion dans un hôtel. Tous les agents s'y trouvaient. L'un d'eux, Pierre Meilleur, est venu me serrer la main et a commencé à discuter avec mon père et moi. Il nous a parlé des joueurs dont il s'occupait et je ne pouvais faire autrement que de m'emballer. C'était gros pour nous. On avait l'impression d'être devenus importants. Mon père travaillait dans une usine et des agents de joueurs s'intéressaient à nous. Pendant qu'on jasait avec Meilleur, Gilles Lupien, un agent puissant et reconnu dans le milieu, s'est pointé à notre table. Il s'est tourné vers Meilleur et d'un ton cinglant, lui a lancé: «Je te regarde, Boum-boum, t'étais mon *trainer* (préposé à l'équipement) quand je jouais avec le Canadien, pis tu joues à l'agent aujourd'hui? Voyons donc, tu t'occupais de mes patins, sacrament! Veux-tu ben crisser ton camp?»

On ne parlait plus, mon père et moi. On était en état de choc. Pierre s'est levé et il est parti. Gilles a pris sa place et on a discuté. Mais ma décision était déjà prise. Il y avait peut-être une histoire derrière ce qui venait de se passer, ils se volaient sans doute des joueurs entre eux, mais j'ai finalement choisi Meilleur, justement à cause de cette scène. Des années plus tard, je me rendrai compte que ce n'était pas la meilleure décision.

J'ai finalement été repêché en première ronde par... les Cataractes de Shawinigan, l'équipe de Joe Hardy. J'ai été le quatrième joueur choisi, derrière Pierre Sévigny, Yanic Perreault et Carl Leblanc, un jeune qui n'a jamais joué ailleurs par la suite. Hardy m'a reparlé quelques années plus tard de notre fameuse rencontre de trois minutes. Il m'a confié que ma réponse l'avait agréablement surpris. Il disait qu'il voulait savoir à quel genre de gars il avait affaire, si j'étais un vrai de vrai. Il n'aurait pas aimé que je lui réponde du tac au tac:

« J'essayerais de le tuer, le maudit Ciccone. » Ma réponse était plus réfléchie et montrait une certaine maturité pour mon âge. C'est du moins ce qu'il m'a dit.

J'ai aussi reçu quelques offres de collèges américains, dont Princeton et Brown, mais comme je venais d'être choisi en première ronde par une équipe de la LHJMQ, je me voyais mal refuser de jouer dans une ligue qui pouvait me mener directement à la Ligue nationale deux ans plus tard. En acceptant l'offre de Harvard, j'aurais été obligé de passer une saison dans une ligue junior de calibre inférieur, en Ontario, et ça ne me tentait pas du tout.

Je suis rentré à Baie-Comeau après le repêchage pour passer le reste de l'été à préparer mon camp d'entraînement à Shawinigan. Je devais prendre du poids parce qu'il fallait être pas mal bâti pour jouer dans la LHJMQ. Je pesais environ 180 livres et ce n'était pas assez. Mais je n'ai pris aucun supplément alimentaire ni drogue… pas encore.

Le plus drôle est que je ne m'imaginais pas du tout en train de marquer des buts avec les Cataractes. Je me voyais plutôt en train de me battre comme Chris Nilan à la télé, agripper le chandail de mon adversaire et lui lancer quelques bonnes droites à la figure. J'aimais le respect qu'inspirait Nilan et je me voyais vraiment dans sa peau. Pourtant, je ne m'étais jamais battu sur la glace dans les rangs mineurs.

Peu après le repêchage, l'équipe m'a téléphoné pour que j'aille à Shawinigan me présenter aux médias locaux et visiter ma nouvelle pension. Ma mère est venue me reconduire en auto, on a fait six heures de route. Je n'avais jamais mis les pieds à Shawinigan. Ils nous ont emmenés dans un gros bar du coin, le *Spot 55*, pour la conférence de presse avec les gars choisis par l'équipe au repêchage. Il y avait aussi quelques vétérans sur place. Puis je me suis rendu chez mon futur hôte, monsieur Matteau, qui accueillait les premiers choix au repêchage, année après année. Ce fut une belle rencontre. Je suis rentré à Baie-Comeau de bonne humeur, confiant et motivé, et j'ai continué à m'entraîner très fort. Je prenais beaucoup de protéines. Je travaillais dans un dépanneur la nuit où je pouvais vider deux pintes de lait. Je mangeais aussi de la viande en grande quantité.

Le camp a enfin commencé quelques semaines plus tard. Je me souviens encore de l'odeur du *pop-corn* et des saucisses à hot dog qui flottait dans l'air quand je suis entré la première fois dans l'aréna et, aussi, de la présence des tourniquets et des guichets : les gens allaient payer pour me voir jouer. Je m'étais mis un tee-shirt super serré pour montrer à tout le monde que j'étais en *shape*. Je ne voulais pas faire mon frais, mais plutôt leur montrer que je pouvais devenir une présence imposante sur la glace. Un des vétérans de l'équipe, Daniel Bock, est venu me souhaiter la bienvenue, car il m'avait déjà vu au moment du repêchage, mais je ne me sentais pas vraiment dans la gang. Tu n'es jamais automatiquement dans la gang quand tu arrives du midget AAA. Les gars te le font sentir. Tu choisis ton équipement en silence, tu te fais peser et mesurer tout en te faisant le plus petit possible !

Le soir, on est allés à l'hôtel. On couchait tous dans une espèce de grande salle de réception sur un matelas par terre pour toute la durée du camp. C'était la première nuit, et tout le monde s'est mis à parler. Les vétérans de l'équipe, comme Ciccone et Carrier, ont commencé à nous parler des autres clubs. J'étais nerveux et fébrile. Je n'ai pas dormi cette nuit-là. J'ai fait des *push-ups* pour m'aider à trouver le sommeil, en vain.

Cette nuit-là, j'ai pensé à mes grands-parents. Je voulais arriver à tenir la promesse que je leur avais faite, de jouer dans la Ligue nationale un jour. Mon grand-père était incapable de parler parce qu'il manquait de souffle, mais ça ne l'empêchait pas de prendre un taxi pour venir me voir jouer. De son côté, mon grand-père Fortin a assisté à la plupart de mes matchs à Shawinigan. Mes grands-parents me disaient toujours que j'étais spécial. J'étais le chouchou dans la famille. Mon rêve, c'était d'avoir tous mes proches réunis dans une même grande maison : mes grands-parents, mes parents, ma sœur, mon frère… Chaque été, je leur disais que j'allais acheter une grosse maison quand je jouerais dans la Ligue nationale.

En arrivant à la première séance d'entraînement sur la glace, j'étais intimidé devant tous ces vétérans de l'année précédente, surtout Enrico Ciccone, qui allait devenir l'un des rares gars de l'équipe à percer dans la LNH. La direction m'a demandé si j'avais peur de me battre ; je l'ai pris comme un message, mais je ne me sentais pas l'obligation de le faire pour gagner mon poste, parce que j'étais tout de même un premier choix. D'ailleurs, Joe m'avait dit de me concentrer sur ce que je faisais de bien dans le midget AAA. Malgré tout, je rêvais à ma première bagarre. Je voulais essayer ça. Je n'avais jamais jeté les gants de ma vie.

Dès ma première présence sur la glace, cette envie de me battre est devenue irrésistible. C'était la première fois que j'avais le droit de le faire sans risquer de suspension. Pendant un match simulé contre mes propres coéquipiers, je me suis donc arrangé avec mon ancien compagnon de Jonquière, Gilles Bouchard, pour qu'on laisse tomber les gants. Je lui ai dit : « Butch, *let's go*, on y va ! » On s'est battus comme à la télé. J'ai failli tomber sur le dos pendant la bagarre mais je me suis ressaisi et j'ai finalement eu le dessus. On dirait que ça m'a dégourdi. Je ne me suis pas gêné pour frapper un peu tout le monde le reste de la journée. Je ne regardais pas l'adversaire, je bousculais même les vétérans.

Je me fichais de la loi tacite voulant qu'on ne touche pas aux joueurs d'expérience d'une équipe. J'ai vite découvert le jeu de l'intimidation, qui n'existait pas dans les rangs mineurs, faute de bagarres. Dans le midget AAA, les gros mettaient en échec les petits, les petits faisaient pareil avec les gros, et personne n'avait à répondre de ses actes. C'était différent au hockey junior : quand tu te faisais mettre en échec, tu pouvais défier ton agresseur, l'obliger à rendre des comptes par une bonne bagarre. Moi, je me foutais bien d'avoir des comptes à rendre, j'étais toujours prêt à me battre. Rien ne me dérangeait. Premier compteur ou pas, vétéran ou recrue, je les mettais tous en échec. De plus, j'avais tendance à tenir les coudes hauts. Les plus vieux venaient me voir pour me dire de me calmer. J'ai eu à livrer un deuxième combat assez rapidement, contre un vétéran cette fois, Éric Saint-Amand, qui n'appréciait sans doute pas ma fougue et qui m'a invité à me battre ; une bataille ordinaire, mais j'ai aimé ça.

Pour ce qui est du hockey lui-même, ça allait bien, très bien. Le jeu était vraiment rapide mais j'arrivais à suivre. À la fin de la première journée, les entraîneurs m'ont fait venir à leur bureau et ils semblaient très heureux. Ils me donnaient plein de conseils. Ils me disaient qu'ils me voyaient comme un genre de Cam Neely, l'ancien grand attaquant des Bruins de Boston.

J'ai été chanceux cette année-là parce que Joe Hardy a mis fin à la tradition des initiations de recrues. J'ai donc pu éviter cette coutume qui était en train de devenir sadique. Les vétérans pouvaient, par exemple, frotter les testicules des recrues à l'antiphlogistine, et il paraît que ça chauffait ! J'étais surtout heureux de ne pas avoir à subir l'épreuve du raisin dans le cul : les aînés mettaient un raisin dans le derrière des recrues et organisaient une course. Le perdant était obligé de manger les raisins des autres... Des fois, aussi, les vétérans rasaient le pubis des jeunes. Les recrues de 16 ans pouvaient difficilement se défendre contre des gars de 19, 20 ans. Quatre ans, c'est un monde de différences à cet âge-là.

Notre premier match préparatoire a eu lieu contre les Voltigeurs de Drummondville. Je savais déjà quel genre de joueur je voulais devenir : un attaquant qui est capable de marquer à l'occasion et aussi un gars qui frappe, qui provoque les réactions de l'adversaire et qui sait se défendre avec ses poings. Les Voltigeurs comptaient plusieurs vétérans, dont Daniel Doré et Claude Boivin qui avaient 20 ans et une réputation de durs. J'étais un peu nerveux mais je voulais montrer à tout le monde que j'étais capable de me battre. C'était important pour ma fierté d'être accepté par la gang.

C'était ma première « vraie » partie dans le Junior, même si c'était hors saison. Mon père était dans les estrades, je voulais faire bonne impression. À un moment donné, je frappe un joueur de l'autre équipe et Claude Boivin s'approche de moi, l'air méchant : « Hé, le jeune, tu vas te calmer un peu... » Je n'ai rien dit parce que j'étais trop sur les nerfs et quand je suis sur les nerfs, je bégaie un peu. Je l'ai poussé et on a tout de suite ôté nos gants et notre casque — parce qu'on portait une visière complète pour nous protéger le visage. J'étais excité au maximum. C'était mon premier combat, un combat pour vrai, pas entre *chums*, et il y avait plus de 2 000 personnes dans les gradins. Ça a été une bataille très dure : j'avais l'œil coupé et lui aussi. Un vrai combat entre hommes. Je me suis retrouvé au banc des punitions et j'étais content. Je venais de me battre avec Claude Boivin, qui avait une grosse réputation dans la ligue. Les gars de mon équipe étaient fiers de moi, même les vétérans.

Je me suis battu deux autres fois dans ce premier match, battu à mon deuxième match, battu à mon troisième match...

En peu de temps, j'ai affronté presque tous les durs à cuire du Junior. C'était grisant. Mais le plaisir de me battre n'a pas duré longtemps. Le camp d'entraînement tirait à sa fin et je me suis rendu compte que je ne jouais presque plus, je ne faisais que me battre. J'ai vu dans quoi je venais de m'embarquer pendant un match à Hull. Je m'étais déjà battu deux fois depuis le début de la partie et un de nos joueurs venait de se faire frapper sournoisement. Joe, enragé, m'a envoyé sur la glace en me disant: «Tu pognes n'importe lequel…»

J'ai eu un choc énorme. J'avais 16 ans, je ne savais pas encore vraiment comment ça fonctionnait dans le hockey, mais je commençais à réaliser certaines choses. Moi qui pensais qu'on se battait quand ça nous tentait, parce qu'on était fâchés à la suite d'un mauvais coup, je me rendais compte que ce n'était pas nécessairement le cas. Voilà qu'on m'envoyait sur la glace pour venger des coéquipiers. J'étais complètement déboussolé. J'étais convaincu que John Kordic et Gord Donnelly se battaient au plus fort de la rivalité Canadien-Nordiques parce qu'ils s'étaient donné des mauvais coups la veille dans le coin de la patinoire. Après seulement quatre matchs préparatoires, j'étais déjà classé dur à cuire. Tout d'un coup, le hockey ne m'apparaissait plus agréable du tout.

Ma première année à Shawinigan a été très difficile à vivre à cause de ça. Je dirais même que c'était un vrai cauchemar. Quand tu as 16 ans, qu'il y a 2 000 personnes dans les estrades dont tes *chums* et ta blonde, tu ne veux décevoir personne. Et à toutes les parties, tu dois te pousser à te battre. J'en faisais des nuits blanches. J'essayais de me motiver en cultivant la haine envers mon adversaire du lendemain; j'apprenais le désir de tuer le bagarreur de l'autre équipe. Je me sentais pris dans un cul-de-sac. Je n'avais pas du tout envie de me battre sur commande, mais j'avais l'impression que si je ne respectais pas les consignes, mon rêve de jouer dans la Ligue nationale allait s'envoler. Je ne voulais pas retourner à Baie-Comeau. Qu'est-ce que je ferais si j'abandonnais le hockey? Je travaillerais à l'usine et je jouerais dans les tournois *d'old timers*? Je serais le bon à rien que mon père craignait de me voir devenir? Non, j'allais tout faire pour rester à Shawinigan, avec les Cataractes. D'autant plus que mon père me disait sans cesse à quel point il était malheureux à l'usine. Il voulait tellement que je vive autre chose. Ça m'avait marqué.

Même s'il m'envoyait faire un travail que je n'avais pas envie de faire, mon *coach* savait se montrer très paternel. Il m'encourageait beaucoup, il me disait de ne pas m'en faire, que j'allais éventuellement percer. Il voyait que je n'avais personne à qui parler. Il me faisait souvent venir à son bureau. « Mo, c'est un long processus. Arrête de jouer tes matchs avant qu'ils commencent. Penses-y une quinzaine de minutes la veille, s'il le faut, mais ensuite arrête, change-toi les idées. Tu vas passer à travers. Il faut que tu sois patient. T'as le cœur, t'as tout pour percer… » Il pouvait être très compréhensif. Il y a même des matchs où il me demandait de ne pas me battre mais j'y allais quand même. On avait une super équipe et j'étais le gars le plus populaire du club parce que je me battais à toutes les rencontres. Ça m'encourageait un peu, ça m'aidait à surmonter mes envies de lâcher.

Deux mois après le début de la saison, j'ai frappé un mur. On était à Laval pour affronter le Titan (déménagé depuis à Bathurst, en Acadie). Je savais que je devais me battre contre Gino Odjick et Sandy McCarthy, deux colosses qui ont eu plus tard une belle carrière dans la LNH. J'ai fait ce que j'avais à faire ce soir-là, mais j'étais déjà tellement tout croche mentalement que je suis tombé dans une profonde déprime après la partie. J'ai craqué. Je n'aimais plus le hockey. Je ne me voyais plus passer le reste de ma vie à faire ça. Je n'arrivais pas à me concentrer, à jouer au hockey et à me battre en même temps. À partir de ce moment-là, j'ai commencé à stresser encore plus entre les matchs. Je ne dormais plus, je me réveillais anxieux. C'était trop de pression. Surtout quand j'entendais le *coach*, qui était devenu mon père par procuration, dire aux vétérans des autres clubs, en parlant de moi : « Essaye-le, lui, le p'tit de 16 ans, essaye-le ! »

Un soir, après un match, mon père — mon vrai père, Alan — m'a emmené dans une taverne pour discuter de ma situation. Il me disait qu'il était conscient que mon rôle n'était pas facile et il m'a offert de tout abandonner. Je lui ai répondu que tout allait bien. Je ne voulais pas lui parler de mes sentiments parce que j'avais peur de le décevoir. Je savais qu'il avait beaucoup investi dans ma carrière et je ne pouvais pas lui faire ça. Je me rappelais mon retour à Baie-Comeau après l'expérience de ma première année dans le midget AAA, quand je me sentais comme un bon à rien. Il n'était pas question que je revive ça.

C'est à cette époque que j'ai rencontré un couple qui allait transformer ma vie : le médecin des Cataractes, Michel Tousignant, et sa femme Denise Houle. Ils ont sans doute senti que j'étais seul au monde et ils m'ont adopté, d'une certaine façon. Ils savaient que mes parents étaient séparés et qu'ils vivaient loin. J'ai commencé à passer beaucoup de temps chez eux. Denise est psychologue et ça n'a pas été long que je me suis confié à elle. J'étais très amoché psychologiquement quand ils m'ont accueilli. J'avais besoin d'une oreille attentive parce que ma famille était à Baie-Comeau et que mon hôte à la pension, monsieur Matteau, me détestait. Il n'aimait pas que je sois un dur à cuire sur la glace.

Le « doc » et sa femme avaient pris l'habitude de me ramener chez eux après les parties. Je couchais là de plus en plus souvent. Je parlais, Denise m'écoutait. Je retrouvais l'esprit de famille que j'avais connu chez les Dicaire, à Jonquière. Je pense que Michel et Denise ont vite compris ma détresse. Ils me posaient beaucoup de questions pendant le trajet en auto entre l'aréna et la maison. Ils m'ont beaucoup aidé. Mais ça ne m'empêchait pas d'aller à mes parties à reculons, même si je remportais presque tous mes combats. J'étais tellement stressé, il n'y avait pas une minute où ça ne tourbillonnait pas en moi.

Cet hiver-là, mon père m'a acheté le livre de Guy Lafleur, écrit par Georges-Hébert Germain, *L'ombre et la lumière*. Ça m'a beaucoup inspiré. Guy parlait de sa carrière, de sa passion pour son sport, de sa préparation avant les matchs. J'ai voulu faire comme lui. Je mangeais un gros spaghetti vers quatre heures, je me faisais sept ou huit œufs à la coque, j'arrivais très tôt à l'aréna avant les rencontres. J'essayais de me préparer comme lui. C'étaient des conseils que je n'avais jamais reçus auparavant. J'ai compris qu'il y avait peut-être des moyens à prendre pour retrouver le goût du hockey.

J'étais encouragé aussi parce que certains dépisteurs venaient me parler. Entre autres, il y avait Claude Carrier, des Devils du New Jersey, et Claude Ruel, du Canadien, qui venait manger avec moi au moins une fois par mois à la demande de mon agent Pierre Meilleur. Claude Ruel regardait mes matchs et me conseillait. L'attention d'un dépisteur de cette grande institution qu'est le Canadien, c'était prestigieux pour moi. Claude me disait de ne jamais faire de niaiseries après un combat, parce que je n'avais pas besoin de ça, et de ne jamais aller dans les estrades frapper des supporters de l'équipe adverse, parce que tout le monde paye son billet. Il me disait aussi de ne jamais me battre dans la rue ou dans les bars.

J'ai continué à me battre sur la patinoire tout le reste de l'hiver. J'avais la main presque toujours enflée, mais j'y allais quand même. C'était paradoxal parce que je voyais souvent certains de mes coéquipiers se « trouver » des blessures avant des matchs contre des clubs très robustes. J'ai vu tellement de faux durs à cuire craquer sous la pression chez les Juniors. Des jeunes qui n'étaient pas capables de se battre sur la glace devant 2 000 spectateurs. C'est effectivement beaucoup de pression à supporter. Tu n'as pas envie de recevoir une raclée. La fierté, c'est tellement important. Tu viens de « manger une volée » et tu n'as vraiment pas envie de te battre encore avec celui qui vient de te corriger, mais tu n'as pas d'autre choix que de lui demander une revanche dans le même match pour préserver ta réputation de *tough*. J'ai tellement de mauvais souvenirs. Le *coach* qui te donne une tape dans le dos pour te lancer sur la glace quand les gens crient ton nom dans les estrades. Tes mains complètement démolies qui doivent te servir à frapper quand même.

Je pouvais voir l'angoisse sur le visage de mes adversaires avant une bataille, parce que je la vivais, moi aussi, cette angoisse. Une fois, à Saint-Hyacinthe, je faisais face à un Italien à la mise en jeu. Cet Italien-là était supposé être *tough* et c'est pourquoi Joe m'avait envoyé sur la glace contre lui. Je l'ai regardé et je lui ai dit: « Veux-tu y aller? *Let's go…* » On a enlevé nos casques et jeté nos gants, et j'ai vu sa face changer. Il a fait une crise, un genre de crise d'épilepsie. Il était étendu sur la glace avant même qu'on se donne un seul coup de poing et il tremblait. Il a été escorté à l'extérieur de la patinoire par le soigneur de son équipe. J'étais vraiment mal à l'aise pour lui. Je voyais qu'il avait été envoyé par son *coach*, mais il n'était pas prêt. C'est ça, la pression : tu ne veux pas recevoir une raclée. Cet aspect-là du hockey n'est vraiment pas agréable. Seize ans, c'est vraiment trop jeune ; envoyer un gars de cet âge-là se battre, c'est ridicule. On n'a jamais revu ce joueur italien dans la ligue…

La pression était tellement forte que les seuls moments où je m'amusais sur la glace, c'était sur les patinoires extérieures ou aux entraînements. Il y avait une patinoire à Shawinigan, tout près de la piste d'athlétisme. J'allais jouer là avec des inconnus, parfois même juste avant les parties officielles, et j'avais du *fun*. Je comptais des buts, j'étais bon, ça faisait du bien. Ça me rappelait mes années dans le hockey mineur.

J'aurais aimé me confier à mes proches mais je ne pouvais pas. Je ne parlais jamais de mes peurs ou de mes problèmes, surtout pas avec mes *chums* ou mes coéquipiers, parce que j'avais une image de *tough* à entretenir. À leurs yeux, j'étais un bon gars à l'extérieur de la patinoire, mais un fou furieux sur la glace. J'avais un statut, je n'aurais jamais pu dire à personne que j'étais écœuré de me battre. Il y en a qui vont sûrement être renversés en lisant ça, aujourd'hui, parce que je n'ai jamais laissé paraître mes émotions à ce jour. Aucun jeune bagarreur présentement dans les rangs junior ne pourra me faire croire le contraire : la crainte de se battre est toujours présente, même si tu es confiant. C'est tout simplement que certains affrontent leurs peurs plus facilement que d'autres. J'ai toujours été capable de surmonter mes peurs parce que je ne voulais pas retourner à Baie-Comeau.

Je ne me suis confié qu'à une seule personne au sujet de mes angoisses, c'est Denise, la femme du « doc ». Peut-être parce c'était une psychologue, peut-être aussi parce que c'était une femme. Juste le fait de dire ce que je ressentais me faisait beaucoup de bien. Elle savait m'écouter même si elle ne connaissait absolument rien au hockey. Je lui parlais de mon avenir, et elle m'aidait à prendre conscience que c'était vraiment ça que je voulais faire.

J'allais de moins en moins souvent à la pension de monsieur Matteau, qui accueillait aussi un autre joueur, Stephan Lebeau, un futur Canadien. Stephan jouait dans la ligue depuis trois ans, il était super gentil. Il ne prenait jamais une goutte d'alcool, il faisait sa petite affaire avec sa blonde et il était tenu un peu à l'écart à cause de ça. Les gars le trouvaient un peu plate. Avec le recul, ils ont peut-être compris que c'est lui qui avait raison.

La plupart des gars de mon entourage n'avaient pas la chance d'avoir, comme moi, un confident. La pression, ils allaient la boire. Et ils ont dépéri. J'ai vu des gars boire une caisse de 24 avant de se coucher parce qu'ils avaient besoin de ça pour s'endormir. C'est facile d'aller boire. Tu es rendu dans le Junior majeur, tu es devenu un adulte, tu peux sauter les couvre-feux. Tu fais semblant d'aller te coucher et tu passes par la fenêtre. Je l'ai fait moi-même pour des filles ou pour des *partys* d'équipe. C'était l'époque de *Lance et compte* à la télé; il y avait des filles dans les bars et nous, on était des joueurs de hockey. J'avais 16 ans et j'étais avec des gars de 19, 20 ans. Il y en a toujours un qui doit s'assurer qu'on respecte le couvre-feu, mais ça varie selon les organisations. Il y avait au moins deux ou trois soirs par semaine où on pouvait faire ce qu'on voulait.

Tu es avec des gars qui racontent leurs histoires de *partys* où il y a plein de filles, des affaires de cul inimaginables… Dans le Junior, il y avait toujours des histoires comme ça: la fille qui a couché avec les deux gars, les deux filles qui ont couché avec le gars, ou même la femme qui tient la pension et qui couche avec les joueurs! C'est la liberté totale, tes parents ne sont plus là pour te dire quoi faire. Si tu veux aller t'acheter une caisse de 24, il n'y a pas de problème, tu peux le faire. Tu n'as qu'à demander à tes coéquipiers qui ont l'âge, ou aller chez ceux qui vivent en appartement. Ou bien tu vas dans un bar où les gens te paient la traite. Tu es encore bien jeune, mais tu es laissé à toi-même.

Michel et Denise, eux, m'encadraient bien. Ils me faisaient à déjeuner, à souper, ils s'occupaient de moi. Certains de mes coéquipiers, par contre, pouvaient être «sur la brosse» deux jours de suite. Je ne veux pas dire que j'étais parfait. J'ai connu des soirées arrosées, moi aussi. Mais je pouvais me tenir tranquille pendant une semaine après une bonne cuite. Alors que d'autres sortaient tous les soirs.

J'ai tout de même réussi à compléter ma première année chez les Juniors, avec 15 points accumulés en saison, dont 4 buts, et cela malgré mes nombreuses périodes de découragement et mes 298 minutes de punition. La saison suivante, je me suis présenté au camp d'entraînement beaucoup plus mature, nettement plus confiant. J'étais plus vieux, j'allais avoir 18 ans en décembre. En plus, Joe Hardy m'a accueilli avec une excellente nouvelle: il avait mis la main sur un autre *tough* et je n'aurais plus à me battre aussi souvent. J'étais soulagé, je pourrais enfin me concentrer sur le hockey. Je sentais que j'avais mangé mon pain noir, que les temps durs étaient terminés.

Mon statut au sein de l'équipe avait changé. J'étais devenu un vétéran même si je n'avais disputé qu'une seule saison. J'avais un certain contrôle sur le groupe, mais je n'en abusais pas malgré quelques écarts de conduite. Après une pratique au camp d'entraînement, par exemple, il m'arrivait de me fâcher contre des gars qui m'avaient mis en échec. J'arrivais dans le vestiaire et je leur disais : « Toi, toi, et toi, c'est fini, vous êtes morts ! » Je ne le pensais pas vraiment, je faisais ça juste pour voir leur réaction. Ce n'était pas correct, mais je ne m'en rendais pas compte. J'ai déjà vu un gars partir avec son sac et ses affaires à cause de ça. Il a quitté l'équipe, terrorisé. Aujourd'hui, je trouve notre comportement de l'époque totalement idiot et irresponsable. Mais ça se passait comme ça dans l'univers du hockey junior. On avait tendance à vouloir écraser les plus faibles. Les initiations, c'était du passé, mais on allait quand même « virer des brosses » avec les recrues. C'était ça, leur initiation. On les saoulait, tout le monde se saoulait. Même ceux qui n'aimaient pas ça. Tu étais obligé…

Je me suis rapidement lié d'amitié avec le jeune *tough* que Joe avait déniché. Il était sympathique et il s'est rapidement confié à moi. Il devait avoir 16 ou 17 ans. Il m'a avoué dès les premiers jours du camp d'entraînement qu'il avait pris des stéroïdes anabolisants. Il en parlait souvent. Il était gros et il pouvait facilement faire peur aux autres jeunes. Je le regardais aller pendant les entraînements et jc me disais que Joe en avait trouvé un bon pour faire la « job de bras ». On sortait avec lui dans les bars pendant le camp d'entraînement et j'ai vite constaté qu'il avait un tempérament bouillant. Il cherchait la bagarre dès qu'il avait quelques bières dans le corps. Et il ne se souciait pas de la taille de ses adversaires. C'était vraiment un violent.

Puis les matchs préparatoires ont commencé. Je me souviens du premier contre Saint-Hyacinthe. Il y a dans l'autre équipe un vrai dur à cuire du nom de Serge Labelle. Après quelques minutes de jeu, Labelle est envoyé sur la glace. Je suis sur le banc, assis à côté de notre jeune *tough*, et je sais très bien que le *coach* va répliquer. Joe passe derrière nous et il donne une tape sur l'épaule du gars pour qu'il saute sur la patinoire. C'est un soulagement pour moi. Joe a enfin décidé de ne plus m'envoyer automatiquement sur la glace contre les molosses de l'autre club, il veut plutôt essayer le nouveau à ma place. Et franchement, j'ai bien hâte, moi aussi, de voir ce qu'il a dans le ventre, mais je ne suis pas trop inquiet après ce que je l'ai vu faire dans les bars.

À ma grande surprise, le jeune n'a pas quitté le banc. Il s'est tourné vers moi et j'ai vu la peur dans ses yeux. Il m'a dit: «Je ne suis pas capable d'y aller, je suis trop sur les nerfs…» Sans rien dire au *coach*, j'ai sauté sur la patinoire à sa place. J'avais pris le jeune sous mon aile et je me disais que c'était mon rôle de le couvrir puisque j'étais devenu un vétéran. Je me suis rendu directement vers le cercle de mise en jeu et j'ai défié Labelle au combat. Toute une bagarre! Je me demande si j'ai bien fait de prendre la place de mon protégé à ce moment-là car je me suis fracturé la main en frappant Labelle. J'ai manqué un mois et demi de jeu à cause de ma blessure. Mais ça fait partie du hockey. Je n'ai jamais parlé de notre échange sur le banc à personne, surtout pas à Joe. Je me disais que le jeune ne filait pas et je comprenais très bien ce qu'il vivait. J'avais toujours réussi à surmonter mes peurs mais lui, il avait laissé sortir ce que j'essayais toujours d'étouffer.

Il ne s'est pas battu du match, ce soir-là. Il a prétexté une blessure. Ce n'était probablement pas vrai. Je sentais plutôt qu'il avait craqué psychologiquement. On est rentrés à Shawinigan le soir même. Comme on avait congé le lendemain, on a décidé d'aller faire un tour au bar du coin. Le jeune s'est mis à boire et le manège a recommencé, il voulait se battre avec tout le monde. J'ai compris qu'il avait besoin de boire pour se donner du courage. Ce que je pensais s'est confirmé par la suite. Peu de temps après, il a commencé à boire avant les matchs. Comme il n'allait pas à l'école, il se rendait au bar juste avant nos parties. Il buvait deux ou trois bières, ça le détendait et il pouvait se battre. Il jetait les gants de temps à autre, mais je voyais que le cœur n'y était pas. Quand le gars est obligé de boire pour se battre, ça ne marche plus. Il a réussi à jouer deux ou trois saisons au niveau junior majeur, entre quelques renvois dans le Junior AA, mais sa carrière n'a pas été plus loin. Il avait été «cassé» en partant.

J'allais encore à l'école à cette époque mais c'était pour la forme. Disons que le programme sports-études du cégep n'était pas trop rigoureux et moi, je prenais ça à la blague. On avait un professeur pour l'équipe mais on n'allait pas souvent aux cours. Je ne donnais pas toujours le bon exemple, non plus. Parfois on sortait très tard et je disais aux gars qu'il n'était pas question de se pointer à l'école avant onze heures, même si nos cours commençaient à neuf heures. On était tout un groupe à ne pas être motivés par l'école. J'ai eu quelques bons professeurs qui m'ont vraiment appris des choses, mais il y en a d'autres qui sortaient même avec nous dans les bars! Il y a un cours dont je me souviens, on n'y faisait absolument rien. Le mot s'est passé, il y a eu des plaintes et la direction du cégep a exigé qu'on effectue un travail pour le lendemain. Finalement, le prof a payé des élèves d'autres classes pour qu'ils fassent les travaux à notre place parce qu'il ne voulait pas mal paraître...

Tous les joueurs n'étaient pas aussi indisciplinés. Certains réussissaient à bien combiner le hockey et les études. François Groleau, par exemple, qui a joué brièvement pour le Canadien, avait des cours réguliers. Il n'en revenait pas de voir comment ça se passait dans le programme sports-études. Il en était sorti pour pouvoir suivre plus de cours. Moi, je ne me suis jamais donné la chance d'aimer l'école. Je ne vivais que pour le hockey. Je préférais aller patiner le matin au lieu de me rendre au cégep. Je voulais jouer dans la Ligue nationale et rien d'autre. Et puis, nos horaires étaient déjà bien assez chargés comme ça. On jouait 70 matchs par année, — en plus des séries et des rencontres préparatoires — on était souvent fatigués ou blessés. La plupart de mes coéquipiers étaient dans le même bateau.

Cette année-là, j'ai découvert l'existence de la drogue dans notre milieu. Quand tu es recrue, tu te sens plus *outsider* et tu vois moins de choses, mais tout s'ouvre à tes yeux dans la deuxième année. C'est surtout le *pot* qui était populaire. Sur la vingtaine de gars qui étaient dans l'équipe, au moins la moitié en fumaient, pour le *fun* ou pour relaxer. Mais je ne suis jamais tombé là-dedans. Ni dans la cocaïne. Je m'en suis fait donner une fois, dans un bar, et j'ai essayé, mais je n'ai pas continué. De toute façon, on n'avait pas d'argent pour s'en payer. Le propriétaire de l'équipe avait un bar et on se faisait offrir la bière, alors pourquoi payer pour de la *coke*?

Les drogues pour améliorer les performances, on n'en entendait pas beaucoup parler. Il y avait des rumeurs au sujet de certains gars qui jouaient sur la *coke*, mais c'était difficile à vérifier. On savait que des joueurs prenaient des pilules de caféine, des Wake-up, mais rien de plus sérieux. Ça n'avait pas encore vraiment commencé dans les rangs junior. On se contentait de boire nos bières dans les bars, c'était le bon vieux temps...

Je n'ai pas connu une bonne saison cette année-là, en 1989-90; j'ai marqué seulement deux buts en 66 matchs. Et écopé 269 minutes de punition même si je détestais toujours autant me battre. J'ai été ignoré par toutes les équipes de la Ligue nationale au repêchage de juin, alors que j'étais considéré comme un bel espoir pour la LNH l'année précédente, à ma première saison dans le Junior majeur. Mes deux fractures à la main n'ont sans doute pas aidé, mais j'avais aussi perdu la touche de marqueur qui me caractérisait dans le midget. Je n'avais pas beaucoup de nouvelles, non plus, de mon agent Pierre Meilleur. J'en aurais eu besoin, je pense. Mais j'avais le « doc » et sa femme, et c'est aussi l'année où j'ai rencontré ma blonde, Nancy, qui allait devenir ma femme et la mère de mes deux enfants. Ça m'a apporté une bonne stabilité.

Je ne me suis pas découragé pour autant et je me suis entraîné très fort au cours de l'été, encore une fois. Dès le début du camp d'entraînement, j'ai vu que j'avais la confiance de l'entraîneur et il me donnait beaucoup de responsabilités.

Cette troisième saison, j'ai joué au sein des deux premiers trios offensifs et dans les attaques en avantage numérique. J'avais réussi à accumuler presque un point par match à un certain moment de l'hiver. Je choisissais mieux les occasions de me battre et je commençais tranquillement à accepter mon rôle. Dans l'ensemble, une très belle saison. Mais cette année-là, j'ai commencé à expérimenter certains produits pour me donner un peu plus d'énergie sur la glace. Je me sentais souvent fatigué, car on jouait régulièrement des matchs plusieurs soirs de suite.

C'est un de nos coéquipiers qui nous a fait découvrir ça. Il était l'un de nos bons marqueurs et avait l'habitude de prendre des petites pilules pour se *booster* avant les matchs. C'était seulement des Wake-up. J'ai voulu essayer, moi aussi. Mais je n'en prenais pas régulièrement parce que je n'avais pas beaucoup d'argent. C'était cinq dollars pour une petite palette et, avec ce qu'on recevait comme allocation, une consommation régulière aurait pu faire un bon trou dans mon budget. Je me sentais bien quand j'en prenais, c'était un stimulant. Ça m'aidait surtout quand on devait jouer le lendemain d'un long voyage en autobus après un match.

En séries éliminatoires, cette saison-là, les Wake-up sont vraiment devenus populaires chez les Cataractes. C'était la pilule magique. On traînait notre petite tablette et on ne se cachait même pas pour en prendre. De toute façon, ce n'était pas illégal. On n'en parlait pas vraiment, c'était banal pour nous. On en prenait comme on boit une bière. On voulait vraiment être à la hauteur. Par contre, les histoires au sujet des stéroïdes anabolisants sortaient de l'ordinaire et ça nous faisait jaser. On entendait parler de gars qui y avaient eu recours pour percer dans la Ligue nationale et on disait aussi qu'un bon nombre de joueurs professionnels consommaient des stimulants appelés Ripped Fuel, un mélange de caféine et d'éphédrine en pilule.

Malgré une fin de saison difficile marquée par l'arrivée d'un nouvel entraîneur qui ne m'aimait pas (Joe Hardy ayant été congédié au cours de l'hiver), j'ai su que j'aurais des chances d'être repêché dans la Ligue nationale l'été suivant. Certains dépisteurs étaient en contact avec moi et ça me permettait de continuer à rêver. Je ne voulais surtout pas rater ma chance, parce que ça faisait trois ans que je n'avais rien appris à l'école. Je ne voulais pas rester dans les rangs junior une autre année, encore moins aller travailler à l'usine.

Chapitre 3

MES PREMIÈRES SERINGUES

Quelques semaines avant le repêchage de 1991, j'ai reçu un appel des Devils du New Jersey. Ils m'invitaient à passer des tests de conditionnement physique. C'étaient des examens assez complets et exigeants. Je mesurais 6 pieds et 1 pouce, et je pesais environ 195 livres à ce moment-là. C'est un bon gabarit pour un junior, mais pas nécessairement pour un joueur de mon genre dans la Ligue nationale. Les dépisteurs nous disaient constamment qu'il fallait être gros. J'avais bu beaucoup d'eau afin d'être plus lourd à la pesée au moment des tests de la centrale de recrutement de la LNH quelques mois plus tôt. J'avais aussi réussi à me coller deux petits poids de cinq livres à la taille. C'était une pratique assez courante. Ça ne paraissait pas parce qu'on montait sur la balance avec nos shorts et notre tee-shirt. Certains gars s'étaient déjà fait prendre, mais le risque en valait la peine. Personne ne s'est rendu compte de quoi que ce soit dans mon cas. J'avais cette obsession d'être toujours plus gros, comme le voulaient les dépisteurs.

Pour les tests des Devils, c'était plus difficile de truquer la pesée et ils auraient découvert la supercherie. Finalement, tout s'est bien passé et par la suite, leur dépisteur Claude Carrier m'a confié que le club s'intéressait à moi, mais que je ne serais probablement pas repêché avant la septième ou la huitième ronde. Les Capitals de Washington ont aussi communiqué avec moi au cours de cette période. Ça devenait sérieux.

J'étais prêt à tout pour réussir et je me demandais bien ce que je pourrais faire de plus pour assurer mon entrée dans la Ligue nationale. J'entendais parler de gars chez les juniors qui prenaient des stéroïdes pour passer le cap du poids, de la masse musculaire. Et pas seulement les *toughs*, des compteurs aussi. Certains d'entre eux ont connu une longue carrière dans la Ligue nationale. Je ne peux pas les nommer ici, mais vous seriez surpris d'apprendre leur identité.

C'est à cette époque que j'ai fait la connaissance d'un dur à cuire de la région de Shawinigan qui roulait sa bosse dans la Ligue américaine après avoir joué occasionnellement avec les Nordiques de Québec quelques saisons plus tôt. Il avait 30 ans et se « pompait » aux stéroïdes. Il savait qui en prenait dans la Ligue nationale et on en parlait beaucoup ensemble. Je ne connaissais pas grand-chose des stéroïdes, à part le fait que ça faisait grossir et devenir plus fort. Je n'avais aucune idée des effets secondaires. J'étais confronté à un choix. Pour atteindre la Ligue nationale, il fallait que j'assume pleinement mon rôle de dur à cuire parce que c'était ma porte d'entrée pour la LNH. Ce n'est pas tout le monde qui peut se battre avec efficacité. Et il me fallait des stéroïdes pour y arriver, car je savais que la plupart des *toughs* de la Ligue nationale en prenaient.

Le repêchage avait lieu en juin à Buffalo. J'hésitais à y aller, même si c'était à seulement six heures de route. Les histoires de gars qui passent la journée à l'aréna sans se faire repêcher me décourageaient. D'autant plus que Carrier m'avait prévenu : si j'étais repêché par les Devils, ça se ferait sur le tard. Rien n'était sûr. Je ne voulais surtout pas perdre la face là-bas. J'avais un nouvel agent, que je préfère ne pas nommer ici, qui tenait vraiment à ce que j'y sois. Il avait remplacé Pierre Meilleur l'hiver précédent. J'avais choisi de faire appel à lui parce que Meilleur ne me téléphonait plus depuis un bon moment. J'imagine que je n'étais plus important à ses yeux parce que j'avais été ignoré au repêchage précédent.

Mon nouvel agent s'occupait déjà des intérêts de Sandy McCarthy et Bobby Dollas. Il m'avait beaucoup rassuré la veille du repêchage en me disant que je serais assurément choisi par une équipe, mais il n'avait pas réussi à me convaincre d'y aller. Finalement, mon père s'est rendu à Buffalo, tout comme le « doc » et Denise. Mes proches étaient trop impatients de savoir si je serais repêché et avaient décidé d'y aller malgré mon absence. J'ai préféré rester à Shawinigan. J'ai passé la journée avec mes *chums* et, vers 19 heures, voyant que personne ne m'appelait, je suis sorti prendre quelques bières à la *Taverne des Chutes.*

Les heures ont passé et je n'avais toujours pas de nouvelles. J'avais perdu espoir. Puis, vers une heure du matin, le gérant du bar est venu m'avertir qu'on me demandait au téléphone. C'était mon père. Il m'annonçait que je venais d'être repêché en septième ronde par les Capitals de Washington, au 146e rang. J'étais complètement renversé. Je m'étais résigné, je m'étais dit que «mon chien était mort» parce que personne de mon entourage ne s'était manifesté. Drôle de façon d'apprendre que j'avais été repêché par un club de la Ligue nationale, mais c'est le résultat qui comptait, finalement.

Peu après, je me suis mis à la recherche de stéroïdes. Je ne me suis pas adressé à mon contact hockeyeur toutefois, parce que je ne voulais pas qu'un gars du milieu soit au courant. J'ai plutôt fait affaire avec une connaissance de longue date de la région de Trois-Rivières. C'était un culturiste qui en consommait et qui en vendait. Il était branché sur l'un des plus grands fournisseurs à Montréal, un *pusher* qui disait compter comme clients des athlètes professionnels et olympiques. Le simple fait de savoir que plusieurs autres sportifs d'élite en consommaient me mettait en confiance.

Mon contact m'a expliqué que la LNH n'avait aucun programme de détection de substances illégales. Ça aussi, je l'ignorais. Il m'a dit qu'au pire, je pourrais toujours me servir d'une petite pilule, généralement utilisée pour traiter les maladies transmises sexuellement, comme produit masquant. Il me disait que presque tous les *toughs* de la Ligue nationale prenaient des stéroïdes, sans compter plusieurs joueurs de talent. Sa liste était encore plus longue que celle de mon contact de Shawinigan…

Mon distributeur m'a dit qu'il allait s'occuper de tout. Ça coûtait environ 700 $ pour un cycle de huit semaines. Moi qui gagnais seulement 200 $ par semaine à planter des arbres, je me demandais bien comment j'allais arriver financièrement. Mais comme j'habitais chez le «doc» cet été-là, j'évitais les dépenses pour le logement et la nourriture. J'étais convaincu de faire le bon choix, mais je me sentais vraiment mal à l'aise de cacher ça au « doc » et à sa femme. Je me disais qu'ils allaient être tellement déçus s'ils l'apprenaient un jour. Il n'était pas question d'en parler à qui que ce soit ; même ma blonde n'était pas au courant. J'avais l'impression que si ça venait à se savoir, ma vie serait détruite.

J'ai finalement acheté mes produits, 700 $ de testostérone et de Winstrol. C'était du bon stock, paraît-il. Mon contact me jurait que Ben Johnson avait pris la même chose. J'ai eu un choc lorsqu'il m'a donné ma trousse la première fois. C'était écrit sur la petite fiole : « Pour usage vétérinaire seulement ». Je trouvais ça un peu bizarre, mais je faisais confiance à mon contact parce qu'il me disait que c'était ce qu'il y avait de meilleur sur le marché. Et comme un tas d'athlètes, entre autres des hockeyeurs, prenaient la même chose, de quoi avais-je peur ?

Puis, mon fournisseur m'a envoyé à la pharmacie acheter une trentaine de seringues d'un format précis. C'est très gênant d'entrer dans une pharmacie pour acheter des seringues. Il m'avait dit que, si jamais on me posait des questions, j'avais juste à répondre que j'entraînais des chiens de combat. Tout s'est bien passé, on ne m'a rien demandé. Et les seringues coûtaient seulement 10 ¢ l'unité, une aubaine…

Il restait maintenant à me piquer. Je n'avais pas envie d'utiliser des seringues au début — je déteste les aiguilles — mais mon fournisseur m'avait prévenu que le même produit en pilules était très mauvais pour l'estomac. Comme je voulais garder le secret, je devais apprendre à tout faire moi-même. Il a eu la « gentillesse » de me donner ma première leçon. On était dans l'appartement de ma blonde, à Trois-Rivières, pendant son absence. Le gars m'a expliqué que j'aurais à me faire deux injections par jour au début, puis six fois par semaine vers la fin de mon cycle. Il a ensuite précisé que j'étais mieux de m'injecter les stéroïdes dans l'épaule. Il m'a fait mes deux premières piqûres. Je n'ai pas senti grand-chose, c'était comme un vaccin. J'ai rangé mes seringues et mes fioles dans un petit sac et je suis reparti vers Shawinigan. Une fois à la maison, j'ai soigneusement caché le tout au fond d'un sac de hockey qui me servait à transporter des vêtements.

Le lendemain, je me suis retrouvé tout seul avec ma seringue et mes fioles. C'était pas mal plus stressant. Alors, je me suis dit: «Tu fais comme le médecin, tu remplis ta seringue, tu donnes des petits coups pour faire sortir les bulles, puis tu enfonces l'aiguille dans ta chair.» Je regardais l'aiguille, je regardais mon épaule, et je n'arrivais pas à me décider. Tu penses à ce qui peut arriver si tu rates ton coup et touches un nerf. Je ne suis quand même pas médecin. J'étais très énervé. J'arrivais à la rentrer un peu, mais pas au complet. Et elle restait coincée dans mon épaule parce que j'étais trop tendu. La première fois, ça m'a pris au moins une heure et demie à m'injecter ma dose. C'est devenu un peu plus facile par la suite, mais je mettais quand même entre vingt et vingt-cinq minutes chaque fois pour y parvenir. Il fallait que je compte: «Un, deux, trois… bang!» En plus, je vivais le stress de me dépêcher pour me piquer avant que quelqu'un entre dans la maison et me surprenne.

Je me suis entraîné très fort cet été-là. Je portais fièrement le tee-shirt que les Capitals m'avaient donné. Dans ma tête, j'étais déjà dans la Ligue nationale. Je faisais des poids et haltères, beaucoup de course à pied — le «doc» me suivait même en auto quand je courais — et je plantais des arbres. Je passais entre quatre et cinq heures par jour au gym. En plus des stéroïdes, je prenais aussi des pilules énergisantes pour me donner un *boost* supplémentaire. Je ne me sentais pas changer radicalement, mais je voyais que je prenais du poids.

Je pensais toujours à Kordic quand je m'entraînais. Mon agent, qui était aussi son agent, nous avait arrangé une rencontre. Je ne parlais pas beaucoup anglais et John ne parlait pas beaucoup français, mais tout de même, cette rencontre m'avait marqué. Je l'avais trouvé décontracté et sympathique. Il m'avait souhaité bonne chance. Je voyais à quel point il était en forme. Il était gros comme un monstre et je savais que j'allais devoir me battre contre lui si j'arrivais à percer dans la Ligue nationale. Il me fallait devenir aussi gros que lui.

Les effets secondaires liés aux stéroïdes? Je n'en avais aucune idée. Et pour être franc, je m'en fichais un peu. Ça ne me préoccupait pas. Je voulais seulement devenir plus fort. Je n'avais pas de médecin pour me suivre là-dedans et je n'en aurais jamais parlé au «doc». J'entendais des histoires de maux de tête, de testicules qui ratatinent et de libido qui diminue, mais peu importe, je voulais seulement, plus que tout, jouer dans la LNH. De toute façon, mon fournisseur me disait qu'il n'y avait pas vraiment d'effets secondaires pour ceux qui ne faisaient qu'un cycle de huit semaines. Mais c'était autre chose pour ceux qui passaient l'année là-dessus. Je ne pensais pas en prendre toute ma vie, je me disais que c'était juste un coup à donner. Il fallait que j'en prenne, car je ne voulais pas être désavantagé par rapport à ceux qui étaient «là-dessus».

Je suivais aussi un régime alimentaire très strict, riche en protéines. Quand tu prends des stéroïdes, tu fais attention au sel et aux matières grasses, et tu ne bois pas d'alcool. Mais j'étais parfois pris de rages de boulimie. Je dévorais alors de la pizza, du *fast food*, des gâteaux, puis je me faisais vomir pour ne pas engraisser — c'étaient des muscles que je voulais, pas un pneu autour de la taille! Je pouvais vider le frigo avant d'aller vomir. C'est dur de se faire vomir, les premières fois. Tu sais que ça va être écœurant, mais tu le fais quand même. Tu t'agenouilles devant la cuvette et tu espères que personne ne va t'entendre. Après, tu t'habitues, ça devient plus facile. C'est stupide de se faire vomir après avoir mangé. Mais je faisais ça dans le but d'être le meilleur, pour être le plus en forme possible. Tu te fous des répercussions, tu veux jouer dans la Ligue nationale. Je savais que des athlètes de haut niveau le faisaient, même si personne, officiellement, n'était au courant. De mon côté, j'étais beaucoup trop gêné pour l'admettre. J'ai fait ça pendant presque toute ma carrière de hockeyeur professionnel, mais jamais l'hiver, heureusement, parce que je brûlais déjà assez de calories sur la glace. Ma femme ne l'a su qu'à la toute fin.

J'ai gagné entre 25 et 30 livres de muscles en seulement huit semaines cet été-là. J'étais vraiment gros, un peu trop, même! Je pesais 228 livres. Une semaine avant le début du camp d'entraînement des Capitals, je suis allé me délier les jambes avec mes anciens coéquipiers des Cataractes de Shawinigan. C'était le club avec lequel je risquais de me retrouver comme vieux vétéran de 19 ans si ça ne fonctionnait pas à Washington. C'est alors que les effets secondaires des stéroïdes ont commencé à se manifester. J'avais des maux de tête hallucinants, des crampes aussi. J'en perdais le sommeil. Je me réveillais en pleine nuit avec les bras raides comme des

En 1992, lors de sa première saison comme joueur professionnel, Dave Morissette et son équipe, les Admirals de Hampton Roads, ont remporté le championnat de la *East Coast League*.

Stéphane Morin, le meilleur ami de Dave Morissette et ancien joueur des Nordiques, meurt tragiquement pendant un match disputé à Francfort en octobre 1998.

Dave Morissette en pleine bagarre, à Minnesota en 1995.

Dave Morissette, âgé de 16 ans, lors de sa première année dans la LHJMQ, en 1988.

En juillet 1998, à l'aube de son premier camp d'entraînement avec le Canadien de Montréal.

En 1998, Dave Morissette, que l'on voit ici à côté de Jocelyn Thibault
lors d'un entraînement, devient le nouveau policier du Canadien.

En 1998, durant le camp d'entraînement du Canadien, son rêve se réalise.

En 2004, Dave Morissette en compagnie de son épouse, Nancy Lemire, et de ses deux fils, Jeremy et Zack.

barres de fer. Parfois, mes jambes bougeaient d'elles-mêmes. Imaginez une crampe aux orteils ou au pied, mais dans tout le corps. Je n'associais pourtant pas ça aux stéroïdes, je croyais simplement que c'était parce que je m'entraînais trop fort. Je n'avais lu nulle part que les stéroïdes pouvaient donner des crampes.

À mon arrivée au camp des Cataractes, tout le monde avait remarqué que j'avais grossi. Il y avait des gars qui me demandaient si j'avais pris des produits. Je leur répondais simplement que je m'étais entraîné très fort en prévision du camp d'entraînement à Washington. Au moins quatre joueurs à Shawinigan en avaient pris au cours de l'été. C'était évident parce que les effets secondaires étaient visibles sur eux, contrairement à moi. Certains avaient des mamelons gonflés comme ceux des femmes et d'autres avaient des boutons d'acné plein le dos, des séquelles dont j'avais entendu parler. Pour ma part, même si rien ne paraissait, je me sentais différent sur la glace. J'avais des raideurs au dos quand je patinais. Je me sentais plus lourd, mais ce n'était rien comparé à ce qui m'attendrait la semaine suivante…

Je me suis retrouvé au camp des Capitals quelques jours plus tard. Je connaissais déjà certains joueurs, comme Trevor Duhaime, Éric Lavigne et aussi Réginald Savage, qui avait été leur premier choix trois ans plus tôt, en 1988. J'étais heureux de ne pas être le seul francophone là-bas parce que mon anglais était plutôt médiocre.

À notre arrivée, on a eu droit aux recommandations du recruteur francophone de l'équipe. Il nous a dit qu'il allait parler en notre faveur lors des réunions, mais qu'il nous fallait travailler plus fort que les autres parce que c'était toujours plus difficile de percer pour un francophone du Québec. Je comprenais ce qu'il voulait dire. Presque tous les recruteurs de l'équipe étaient anglophones et c'était évident qu'ils favoriseraient les joueurs avec lesquels ils avaient le plus d'affinités. Je me rappelle en avoir voulu à mes parents ce jour-là: pendant toute mon enfance, j'avais cru que la terre entière parlait français, sauf l'Ontario…

Dès la première journée du camp, les recrues dont je faisais partie ont été conviées au complexe d'entraînement des Capitals, pour un *meeting* avec l'entraîneur Terry Murray. J'étais impressionné parce que l'aréna qui servait seulement aux pratiques était encore plus grand que celui de Shawinigan. Murray nous a expliqué comment le camp d'entraînement allait se dérouler et il a parlé des règlements de l'équipe. J'ai surtout retenu le passage où il a mentionné qu'il préférait ne pas voir les gars se battre entre eux, d'attendre plutôt les matchs préparatoires contre les autres équipes. Il nous a ensuite emmenés dans le salon des joueurs où il y avait un immense divan noir au centre de la pièce. Il a précisé que ce divan servait à regarder les matchs sur vidéo et qu'il ne voulait voir personne s'y étendre pour dormir. Pendant le second *meeting*, le lendemain matin, Murray nous a invités de nouveau au salon. Surprise! Le grand défenseur des Capitals, Rod Langway, était étendu de tout son long sur le divan. Murray ne savait plus comment réagir. Il n'a pas osé faire de reproches à Langway et il s'est tourné vers nous: «Quand vous aurez gagné une Coupe Stanley, vous aurez le droit de coucher sur le divan…»

J'avoue que Langway m'impressionnait. Non seulement il était un excellent défenseur, mais j'avais appris qu'il possédait un restaurant dans la région de Washington. Je me disais que si j'arrivais à jouer dans la Ligue nationale pendant quelques années, je pourrais peut-être amasser assez d'argent pour ouvrir mon propre restaurant, moi aussi. Mon rêve me semblait alors plus accessible que jamais.

L'entraînement sur glace commençait le lendemain. J'ai eu un choc dans le vestiaire en enfilant mon équipement. Tout le monde parlait anglais avec un accent que je n'arrivais pas à comprendre. C'était du *slang*; j'étais complètement perdu. Les gars ont été très gentils, par contre. Les *toughs* surtout. Ils savaient que j'étais un dur à cuire arrivant des rangs junior et ils semblaient déjà m'accorder un certain respect. Je ne savais pas trop pourquoi ils étaient gentils comme ça avec moi, j'allais comprendre cette stratégie quelques années plus tard.

Mes coéquipiers étaient corrects, donc j'y allais modérément dans les coins de la patinoire. C'étaient mes nouveaux *chums* après tout, et je ne voulais surtout pas déplaire aux vétérans. Tu es un jeune nouveau, francophone en plus, tu ne veux te mettre personne à dos. De toute façon, l'entraîneur nous avait dit d'attendre les matchs préparatoires avant de nous battre. Trevor Duhaime, lui, avait osé frapper un vétéran pendant un match intra-équipe et toute la bande avait cherché à le corriger par la suite. Ça avait fait une grosse histoire. J'ai compris que les vétérans se soutenaient entre eux.

Mes problèmes de santé sont apparus rapidement. Dès mes premiers coups de patin, j'ai ressenti une douleur aux mollets. Ça me brûlait le long des jambes. J'avais aussi des problèmes d'équilibre. C'était toujours moi qui tombais quand je fonçais sur un autre joueur. J'attribuais ça à la nervosité. J'allais apprendre plus tard que c'était à cause de ma prise de poids trop rapide. Mais ce n'était rien comparé à mes douleurs aux mollets. J'ai été obligé de partir après une heure d'entraînement tellement ça faisait mal. Le soigneur m'a dit que c'était peut-être à cause de mes patins. Pourtant, je n'en « cassais » pas une nouvelle paire.

Le soigneur devait cependant se douter de quelque chose. Les experts en médecine sportive savent que lorsqu'on prend des stéroïdes, les muscles continuent à gonfler même après un cycle d'injections. Et les mollets ont ceci de particulier qu'ils grossissent à un rythme trop rapide pour l'enveloppe qui les soutient. La douleur était tellement intense que j'avais peur qu'ils explosent. Je venais justement d'entendre l'histoire d'un jeune, à Shawinigan, qui avait été transporté d'urgence à l'hôpital à cause d'un problème semblable. Les médecins avaient été obligés de lui ouvrir les jambes. C'était un gars que je soupçonnais de prendre des stéroïdes.

J'étais convaincu que le soigneur savait ce qui m'arrivait, mais il n'a rien dit. Il m'a enveloppé les mollets comme on le fait avec les chevaux de course. Il a répété le même geste avant chaque pratique pendant un mois et demi, et j'ai pu patiner plus confortablement.

Le soir, c'était l'enfer. Les crampes revenaient sans cesse. Je pensais que c'était à cause de la déshydratation. Ça m'a pris quelques années à faire le lien avec les stéroïdes parce que les symptômes revenaient toujours au même moment. J'étais couché et je n'arrivais pas à déplier mes bras. Ça pouvait se produire jusqu'à dix fois par nuit. Parfois, je devais tenir ma jambe en l'air pendant une heure.

Ma personnalité changeait aussi, mais je ne m'en rendais pas vraiment compte. Une fois, j'ai piqué une crise incroyable contre mon cochambreur parce qu'il avait osé tremper son poulet dans ma sauce. Les maux de tête répétés et la fatigue du camp d'entraînement ne devaient pas aider, non plus, à embellir mon humeur.

J'ai vécu un moment très angoissant pendant le camp. J'ai remarqué un jeune qui semblait avoir pris des stéroïdes. Il a été renvoyé quelques jours plus tard et des joueurs ont raconté qu'il n'était plus au camp parce qu'il avait consommé des produits dopants. J'ai paniqué. Je me suis demandé si l'équipe n'avait pas instauré de contrôles antidopage sans nous prévenir. Les Capitals avaient-ils une politique bien établie dans ce domaine? Je n'en savais rien et je n'ai rien dit. J'ai continué à faire mes affaires et finalement, il ne s'est rien passé. Peut-être que les gars voulaient juste me tester.

Les Capitals avaient une bonne équipe dans ce temps-là, il y avait plusieurs vedettes. Dale Hunter était venu à notre table un soir et il nous avait adressé quelques mots en français qu'il avait appris à l'époque où il jouait pour les Nordiques. Lors des premiers matchs intra-équipe, je me suis retrouvé à la gauche de Dino Ciccarelli, l'un des meilleurs marqueurs de l'histoire de la Ligue nationale. C'était assez impressionnant. On vivait dans un hôtel luxueux et ils nous donnaient 80 $US par jour pour nos repas. C'était bienvenu parce que j'avais seulement 100 $, gracieuseté du «doc», dans les poches à mon arrivée au camp. Je me sentais un peu en vacances, même si on avait deux séances d'entraînement par jour. Je vivais un véritable rêve.

En revanche, un à un, tous mes coéquipiers francophones se sont fait renvoyer. Les autres d'âge junior aussi. Vers la fin du camp, il restait peut-être trois ou quatre gars de moins de 20 ans, et j'étais un de ceux-là. Les matchs préparatoires ont commencé. Je jouais surtout avec l'équipe B contre des clubs du calibre de la Ligue américaine, mais ça m'importait peu, je donnais de bonnes performances. C'est-à-dire que je livrais de solides combats contre presque tous les colosses des autres équipes. C'est pendant les matchs préparatoires que j'ai hérité d'un surnom qui allait me suivre toute ma carrière, le *Moose*. Un de mes coéquipiers, Mark Ferner, m'appelait comme ça parce qu'il trouvait que j'étais massif et que je frappais comme un orignal. Et puis, c'était plus facile à prononcer que Morissette, pour eux.

Plus le camp avançait, plus je remarquais des choses dans le vestiaire. Les gars avaient presque tous leurs grosses bouteilles de Ripped Fuel en haut de leurs casiers. Ils disaient qu'il n'y avait rien d'illégal dans ce mélange de stimulants. Ça se vendait dans les centres de conditionnement physique. Il y a même un joueur qui respirait des sels avant les matchs. Il se cassait des petites capsules sous les narines devant tout le monde pour se remonter. C'était un dur de dur.

Avant mon premier match, un vétéran m'a offert des pilules de Ripped Fuel. Il m'a dit: « Prends ça, le jeune, ça va te réveiller. » C'est vrai que ça réveille. J'ai poursuivi cette habitude par la suite. Je n'en prenais pas pour les pratiques, mais j'avalais au moins deux pilules avant chaque match. C'était du *stock* que je ne pouvais pas me payer chez les juniors parce que ça coûtait 70 $ la bouteille, mais là, j'ai pu en prendre gratuitement pendant un certain temps grâce aux gars. Ils comprenaient mon rôle de dur à cuire et je sentais qu'ils me respectaient de plus en plus parce que j'allais au front. Petit à petit, ma douleur aux mollets a disparu.

Le camp tirait à sa fin, je donnais un bon rendement et je commençais à rêver de signer mon premier contrat professionnel. Pat Peake et Trevor Halverson, deux recrues repêchées aux premières rondes l'année précédente, disaient avoir reçu un boni de 125 000 $US à la signature de leur contrat. Trevor venait même de s'acheter une voiture sport, une Viper. Je ne demandais pas autant d'argent. J'étais prêt à me contenter de 60 000 $ par année avec un boni de 50 000 $...

Un bon matin, le directeur général Jack Button m'a fait venir à son bureau. Il m'a serré la main et m'a dit: « Dave, j'ai un contrat pour toi. » J'étais fou de joie. Je me voyais déjà riche. Comme mon anglais n'était pas très bon, je lui ai demandé si je pouvais téléphoner à mon agent. D'un air étonné, il m'a demandé pourquoi. J'ai commencé à bégayer et j'ai tenté de lui expliquer que c'était parce que je voulais qu'il négocie mon contrat. Button a haussé les épaules et il a téléphoné à mon agent, qui ne savait pas que j'écoutais la conversation sur le haut-parleur. Jack a pris son ton autoritaire:

« Bonjour, c'est Jack Button. J'offre un contrat à Morissette. Je lui donne 25 000 $ s'il joue dans la Ligue américaine et 16 000 $ si on le renvoie dans la *East Coast*. C'est correct? »

« C'est correct, merci », a répondu mon agent, et Button a raccroché.

La conversation avait duré 30 secondes. J'étais en état de choc. Pas de contrat de la Ligue nationale, pas de boni et en plus, il menaçait de m'envoyer dans la *East Coast League*, une ligue de malades, selon ce que tout le monde disait. Je savais aussi que le *coach* du club-école des Capitals dans la *East Coast*, John Brophy, avait la réputation d'être un tortionnaire et un farouche anti-francophone. Je ne savais plus trop quoi faire. D'autant plus que le directeur général des Olympiques de Hull dans la LHJMQ, Charlie Henry, m'offrait 400 $CAN par semaine pour jouer dans son équipe.

Je n'ai finalement pas pris le risque de retarder mon entrée chez les professionnels et j'ai signé mon contrat avec les Capitals. Quand même, 25 000 $US par année, ce n'était pas si mal. Je n'avais pas eu mon boni, mais j'étais fier d'avoir été le dernier Québécois retranché par les Capitals. Il me fallait maintenant gagner un poste au sein de leur club-école de Baltimore, dans la Ligue américaine, et attendre patiemment d'être rappelé à Washington avant même d'espérer jouer pour le Canadien de Montréal, mon vieux rêve. Mais j'étais optimiste, j'étais sûr que les 25 000 $ allaient se transformer en 500 000 $ dès l'année suivante.

Je ne suis pas demeuré très longtemps à Baltimore. Après seulement quelques jours, l'entraîneur adjoint Barry Trotz, qui dirige aujourd'hui les Predators de Nashville, m'a annoncé qu'ils allaient m'envoyer dans la *East Coast* pour quelques matchs. Quand ils parlent de quelques matchs, il ne faut surtout pas les croire. J'étais dans tous mes états. Pour moi, c'était comme si ma carrière se terminait avant même d'avoir commencé. Je m'éloignais encore plus de la Ligue nationale. Il fallait désormais que je sois rappelé dans un premier temps par le club-école à Baltimore, ensuite par les Capitals à Washington. La route m'apparaissait très longue. J'ai songé à refuser pour retourner dans les rangs junior. Mais mon agent m'a dit que je ruinerais ainsi mes chances d'être rappelé dans la Ligue américaine au cours de la saison. Il m'a dit de ne pas m'en faire, que j'allais aimer la Virginie parce que Hampton Roads, la région où j'irais jouer, était au bord de la mer.

L'organisation des Capitals a accepté de payer un billet d'avion pour que ma blonde Nancy puisse rentrer au Québec — je n'avais plus une « cenne » — et je me suis rendu en

Virginie le lendemain. Le vol a été déprimant. Je ne pouvais croire que je me retrouvais dans cette ligue de débiles. J'avais en tête les images du film *Slap Shot* : les terribles Chiefs de Johnstown, les frères Hansen qui se battaient pour un oui ou pour un non, et toutes ces mêlées générales qui éclataient constamment. J'essayais de me motiver en me disant que j'avais seulement 19 ans et qu'au pire, si j'étais malheureux, je n'aurais qu'à retourner chez les juniors.

Chapitre 4

Mon premier contact avec les membres de l'équipe des Admirals a été, étonnamment, très agréable. Le préposé à l'équipement est venu m'accueillir à l'aéroport et s'est montré attentionné. L'aréna et le vestiaire étaient tout à fait corrects pour un club de la *East Coast*. L'amphithéâtre pouvait accueillir 10 000 spectateurs. Ce ne serait peut-être pas si mal, en fin de compte. Même le *coach* John Brophy semblait sympathique à première vue.

J'allais vite déchanter. Dès le lendemain de mon arrivée, j'ai eu un premier coup de déprime quand ils m'ont donné mon *per diem* pour me nourrir. Ils nous accordaient 20 $ par jour pour la bouffe, alors qu'on en avait 80 à Washington. J'ai compris que j'allais devoir laisser tomber les steaks et me mettre au spaghetti et au *fast food*.

La ville de Norfolk était bien différente de ce qu'on m'avait décrit. D'abord, il n'y avait pas de plage aux alentours. Ensuite, il n'était pas très prudent de sortir le soir parce que l'hôtel était situé dans un quartier mal famé. Une fois, j'ai décidé de sortir quand même, mais je suis rentré après avoir marché à peine un coin de rue. Disons que je m'ennuyais du Québec. Je me suis dit qu'il me faudrait adopter une attitude positive si je voulais remonter les marches qui me séparaient de la Ligue nationale.

La première journée du camp d'entraînement a été bien spéciale. Il faut savoir que Norfolk est le site de la plus grosse base navale d'Amérique et que la première guerre en Irak, l'Opération *Desert Storm*, venait tout juste de finir. Des dizaines de militaires en manque de divertissement s'étaient pointés au camp des Admirals dans le but de participer à quelques bonnes bagarres et, peut-être, si la chance leur souriait, de décrocher un contrat avec l'équipe. Certains avaient des tatouages représentant le nombre d'ennemis qu'ils avaient tués. Comme j'étais le seul dur à cuire digne de ce nom au sein de l'équipe, je devenais à leurs yeux l'homme à abattre.

Dès le début de la pratique, un géant de 6 pieds 4 pouces s'est rué sur moi. Il était monstrueux mais il ne savait même pas patiner. Je l'ai couché d'un seul coup de poing. Après un troisième knock-out de ma part, ils m'ont laissé tranquille. À la fin de la journée, Brophy m'a pris par l'épaule et m'a dit que je n'aurais pas à me battre pendant la prochaine pratique parce que les militaires allaient être retranchés.

Mais j'allais encore jeter les gants le lendemain, pendant un match intra-équipe. Je venais de faire un beau jeu et l'un de mes coéquipiers, un *tough* lui aussi, s'est approché de moi et m'a lancé : «*Good job, froggy !*» J'étais rouge de colère. Mon copain qui avait joué pour les Nordiques m'avait prévenu de ne jamais me laisser traiter de *frog* sur la glace. Ma réplique au gars n'a pas tardé. Je lui ai répondu «*Fuck off !*» ou «*Fuck you !*», je ne me souviens pas exactement, et je lui ai asséné tout un coup de poing à la figure. Je me foutais bien qu'il joue dans ma propre équipe. Il était étendu sur la patinoire, le visage en sang, et il se demandait sans doute ce qui venait de lui arriver. Mais ce n'est pas parce que j'étais francophone que j'allais me laisser traiter de grenouille.

Brophy m'a demandé des explications après l'entraînement. Je lui ai raconté que l'autre venait de me traiter de *froggy*. Il a éclaté de rire : «Parfait, on t'appellera *Moose* alors, comme les gars t'ont surnommé à Washington…» Un autre de mes coéquipiers, Brian Martin, avait trouvé l'incident bien amusant et il n'arrêtait pas de m'appeler «*froggy, froggy*» pour me taquiner. Je ne trouvais pas ça très drôle, même si c'était pour rire. Après une pratique, j'en ai eu assez et je lui ai sauté dessus dans le vestiaire. Il a eu très peur. Je ne l'ai plus jamais entendu prononcer ce mot. Ni aucun autre de mes coéquipiers, d'ailleurs.

J'ai joué mon rôle de dur à cuire à la perfection pendant le camp d'entraînement. C'est moi qui engageais toujours les combats. J'avais un gros casque Cooper comme chez les juniors et je ne sentais pas trop les coups de poing. Je me suis vite rendu compte qu'il y avait beaucoup de batailles dans la *East Coast*, mais pas de bagarreurs redoutables.

J'ai quand même subi une bonne commotion cérébrale au camp d'entraînement en ratant une mise en échec. J'ai eu très mal à la tête pendant plusieurs semaines, mais il n'était pas question d'en parler à quiconque. J'étais le *tough* de l'équipe, alors je devais accepter ces chocs-là à l'occasion. Il s'agissait déjà de la troisième grosse commotion cérébrale de ma carrière. J'en avais subi une importante pendant ma première année à Shawinigan. Un gars m'avait frappé vicieusement dans le coin de la patinoire en cours de pratique. Je m'étais violemment cogné la tête contre la bande. J'étais à quatre pattes, incapable de me relever, et j'entendais le *coach* Joe Hardy m'appeler au loin. J'étais sonné, mon gros casque était fendu, et tout le monde trouvait ça bien drôle. Je suis revenu au jeu dix minutes plus tard, mais je me suis placé du mauvais côté de la glace à la mise en jeu. Tout était confus et j'avais mal à la tête.

J'en ai fait plein d'autres dans les rangs junior, mais c'était moins grave. À l'époque, il fallait enlever nos casques pour nous battre, à cause de nos visières. Un coup de poing sur la tempe, ça « gèle » toujours un peu. Sur le nez aussi. Il m'arrivait souvent, pendant les bagarres, d'avoir des petits *black-outs* de quelques minutes. Je me rappelle une fois, pire que les autres. Je me battais contre François Leroux, qui a joué pour les Penguins de Pittsburgh par la suite, et il m'avait atteint d'un coup de poing sur la tempe alors que les arbitres tentaient de nous séparer. Quand j'ai ouvert les yeux, j'étais étendu sur la glace, le visage en sang, et Leroux était déjà au banc des punitions. J'avais juste envie de rentrer à la maison, mais la loi du hockey exige que tu affrontes de nouveau ton assaillant. Ça prend du *guts* en maudit. J'avais mal au cœur, j'avais une plaie ouverte sur le côté de la tête, mais je l'ai invité à jeter les gants dès ma sortie du banc des punitions. Le combat s'est bien déroulé, même si j'étais pas mal amoché après la partie.

Le « doc » m'a fait des points de suture. Je ne lui ai rien dit de la douleur que j'endurais. Question de fierté. C'était l'époque où les médecins me faisaient encore une anesthésie locale pour recoudre mes blessures. Plus tard, j'ai demandé qu'on me fasse toujours mes points de suture à froid. Parce que le produit qu'ils t'injectent fait enfler davantage la plaie. De toute façon, j'étais déjà «gelé» par les coups que je venais de recevoir, alors je ne sentais rien quand les médecins s'occupaient de moi.

Mais revenons à la *East Coast* et à mon tout premier match là-bas, une rencontre mémorable. On affrontait justement les fameux Chiefs de Johnstown, immortalisés dans *Slap Shot*, et l'un des frères Hansen dirigeait le club. Il avait les cheveux longs comme dans le film. J'ai sauté sur la glace et ça a commencé à chauffer immédiatement. Il y a eu une escarmouche dans le coin et tous les joueurs ont rapidement jeté les gants. Le *coach* Hansen gesticulait derrière son banc. C'était laid, tout le monde paraissait laid, comme dans le film. Je me croyais vraiment dans *Slap Shot*, ça n'avait pas d'allure. J'ai même donné un coup de tête à un adversaire. Je n'en étais pas bien fier. J'aurais pu tuer le gars. C'était mon baptême dans la *East Coast*…

Au cours des semaines suivantes, Brophy n'a pas mis de temps à faire honneur à sa réputation de *coach* impitoyable. Il était de la vieille école et ses décisions ne respectaient aucune logique. On se disait par moments qu'il était fou. Il pouvait nous faire patiner sans rondelle pendant une heure après une défaite. Il y avait 6 000 fans dans les estrades et ils restaient pour nous voir suer. Même les comptoirs à hot dogs demeuraient ouverts. On pouvait avoir un match le lendemain, John ne se gênait pas pour nous imposer deux séances de patinage supplémentaires ce jour-là. On était brûlés quand le match commençait ; on subissait évidemment une autre défaite et il avait le culot de nous dire qu'on manquait de cœur.

J'ai été rappelé brièvement dans la Ligue américaine cette année-là, le temps de disputer deux matchs seulement. J'ai compris que je serais confiné à la *East Coast* parce que j'étais le seul vrai dur à cuire que Brophy avait sous la main. Au moins, il me donnait beaucoup de temps de glace et il m'aidait à m'améliorer. Il pouvait me faire recommencer le même exercice huit fois, mais j'avais l'impression d'apprendre des choses. Même s'il était paternel avec moi, Brophy n'aimait pas beaucoup les Québécois en général. Il me l'affirmait lui-même. Il disait nous respecter en raison de notre passion pour le hockey et de notre ardeur au jeu, c'est tout. J'avais du bon *feedback* de sa part, mais je suis rapidement revenu à l'état d'esprit qui me hantait durant ma première année chez les juniors : je n'avais plus du tout envie de me battre.

Les gens ne s'imaginent pas à quoi peut ressembler la vie d'un hockeyeur dans les mineures. Le pire, c'étaient les voyages de 10, 12, 15 heures en autobus. La direction de l'équipe ne louait même pas de chambres d'hôtel parce qu'elle n'avait pas le budget nécessaire. On dormait dans l'autobus, sous les bancs, avec notre oreiller et une petite couverture. Les rares fois où on avait la chance de dormir à l'hôtel, on nous réservait des chambres miteuses dans des petits établissements minables. Pour nous aider à dormir dans l'autobus, le *trainer* nous donnait des somnifères avant de partir. Puis, quand on arrivait à destination le lendemain, on se prenait des petites pilules pour se réveiller, des Ripped Fuel ou des Sudafed. Surtout des Sudafed parce qu'on les avait gratuitement dans le vestiaire. Je dirais qu'environ 90 % des joueurs en consommaient. Les gars en prenaient comme on mange des bonbons. Les Ripped Fuel, par contre, coûtaient 40 $US la bouteille de 80 pilules. C'était trop pour mon budget.

Il n'y avait pas grand-chose à faire dans l'autobus, à part dormir. Brophy ne nous permettait même pas de jouer aux cartes. Pourtant, on n'avait pas des sommes énormes à mettre sur la table avec notre petit 20 $ par jour pour manger. On pouvait cependant regarder des films, n'importe quoi sauf *Slap Shot* que Brophy avait en sainte horreur. Un des personnages de l'histoire, un alcoolique en puissance, avait été inspiré de lui. Le *coach* n'aimait pas beaucoup l'idée, d'autant plus qu'il avait réellement un penchant pour la bouteille. On a essayé une fois de regarder quelques séquences pendant qu'il dormait, mais quand il s'est réveillé, il a retiré la cassette du magnétoscope et l'a lancée par la fenêtre.

Une fois, pendant un voyage à Louisville, notre autobus est tombé en panne. On n'avait plus de moyen de transport et on jouait le lendemain. Brophy a réussi à trouver un camionneur pour nous emmener et nous a installés par terre dans la remorque. On y est restés pendant huit heures, le temps du voyage, dans le noir total. Le plus drôle dans tout ça, c'est que ce camionneur livrait des divans. Mais comme ils étaient déjà emballés, on ne pouvait même pas en profiter. On s'est raconté plein d'histoires pendant le voyage et ça a rapproché les joueurs, mais je ne me suis jamais senti aussi loin de la Ligue nationale que cette nuit-là.

John Brophy n'était pas seulement anti-francophone. Il détestait aussi les Européens. Une fois, les Capitals nous ont envoyé un jeune espoir russe très talentueux. Brophy a essayé de lui expliquer des consignes sur la glace, mais le pauvre gars n'arrivait pas à comprendre parce qu'il ne parlait pas un mot d'anglais. Quinze minutes après le début de la pratique, Brophy a demandé à son préposé à l'équipement d'expulser le jeune de la glace: « *Chris, throw this fucking Russian out!* » Le Russe a pris son sac d'équipement et il est parti. Je n'ai jamais su ce qu'il était devenu. John ne lui a même pas laissé le temps de disputer un match. Il traitait les Européens de voleurs de jobs.

Il y a aussi eu un Noir au sein de l'équipe dans le courant de la saison. Il s'appelait Richie Walcott et c'était un dur à cuire comme moi. Brophy lui disait qu'il n'aimait pas les Noirs mais que lui, il était correct. Un classique, quoi. Les deux seuls joueurs qui avaient à se taper les marches des estrades en courant pendant une heure avant les pratiques, c'étaient Richie et moi. Le Noir et le francophone. Mais je respectais les ordres du *coach* malgré tout. J'avais l'impression que Brophy m'aidait quand même à m'améliorer.

J'étais toutefois loin de l'idée que je me faisais du hockey professionnel. Ça semblait un univers tellement différent dans le livre de Guy Lafleur. Mais ici, dans la *East Coast*, on jouait pour des « pinottes » et les conditions de vie n'étaient pas les meilleures. Le pire, c'est que j'étais considéré comme un millionnaire par mes coéquipiers parce que j'étais le seul à avoir un contrat garanti. J'ai souvent songé à tout abandonner. Mais il ne fallait surtout pas que je lâche.

J'avais toujours mal aux genoux. À cause des stéroïdes, bien sûr. Comment aurait-il pu en être autrement avec trente livres de muscles gagnées en huit semaines? Mes articulations ne pouvaient plus supporter ma nouvelle masse musculaire. J'avais de la difficulté à patiner, mais je n'en parlais à personne, surtout pas aux soigneurs. Je voulais éviter la table d'opération parce que je craignais de perdre mon poste si jamais je m'absentais trop longtemps. En outre, la culture du hockey veut qu'on joue malgré nos blessures. C'est encore plus vrai pour les *tough* comme moi. J'ai joué avec les genoux enveloppés de bandages, j'ai joué avec des orthèses, mais je n'ai pas cessé de jouer.

Je ne sais pas si ce sont les méthodes de John Brophy qui fonctionnaient, mais on a eu beaucoup de succès cette année-là. Il faut dire qu'on comptait sur deux jeunes gardiens exceptionnels, Olaf Kolzig et Byron Dafoe. Les deux sont devenus des vedettes de la LNH par la suite.

On a remporté le championnat au printemps. Mon père avait fait le voyage en autobus pour voir les derniers matchs des séries. Ma blonde était déjà avec moi. Elle avait vendu son auto et abandonné son emploi pour venir me rejoindre. C'était le gros *party* après la finale et on était rentrés en avion de Louisville. Mon père ne parlait pas un mot d'anglais. Il faisait juste rire. Mes coéquipiers me disaient: « *Your father, he laughs a lot!* » Mon père était heureux.

Je me suis fait opérer aux genoux quelques jours plus tard, avant de rentrer au Québec. Le premier mois a été pénible. J'étais un peu déprimé de ne plus jouer et, en plus, mon système était en manque de stimulants. On n'arrête pas de prendre du Ripped Fuel ou des Sudafed du jour au lendemain sans ressentir des effets.

On a vécu avec les moyens du bord au cours de l'été. Les gens s'imaginent que les hockeyeurs professionnels sont riches à craquer et qu'ils sont obligés de repousser des hordes de filles à la sortie des arénas. C'était loin d'être mon cas. J'étais rentré chez moi avec une vieille Hyundai Excel que j'avais achetée d'un fan des Admirals à la fin de la saison. Un vrai citron. On est allés habiter chez le père de Nancy et je me suis trouvé un emploi de portier de bar à Shawinigan. Je n'avais pas le choix, il ne me restait pas d'argent.

Quelques semaines plus tard, j'ai appris que les Capitals n'allaient pas m'offrir de nouveau contrat. Ça a été un coup dur à encaisser. Mon agent m'a dit de ne pas m'en faire, qu'il allait me trouver un poste quelque part. J'ai recommencé un autre cycle de stéroïdes, mais je me suis contenté cette fois du Winstrol V parce que je ne voulais pas prendre autant de poids que l'année précédente.

Cet été-là, le reporter Luc Gélinas de RDS m'a téléphoné parce qu'il voulait réaliser un reportage sur les stéroïdes dans le hockey. Ce fut l'un des moments les plus embarrassants de ma vie. J'ai été obligé de lui mentir à la caméra, de lui dire que je ne consommais rien parce que j'étais déjà assez costaud comme ça. Ce n'était pas une impression très agréable. Je me trouvais tellement hypocrite. Mais je n'avais pas le choix. Il n'était évidemment pas question pour moi de dévoiler mon secret. Je souris aujourd'hui quand j'écoute des athlètes soupçonnés de dopage employer les mêmes clichés à la télé…

Mon agent m'a finalement décroché un essai dans la Ligue nationale avec les Whalers de Hartford. L'équipe était en pleine transition, les nouveaux propriétaires venaient de congédier presque tout leur personnel au cours de l'été. Je me suis présenté à leur camp d'entraînement au Vermont, sans le sou. Je me sentais quand même en forme, je ne ressentais presque pas de ces douleurs aux mollets qui avaient été si intenses l'année précédente à la fin de mon cycle. Je suis arrivé à l'aréna le cœur rempli d'espoir. Je croyais que j'allais recevoir un accueil semblable à celui que m'avaient réservé les gens des Capitals un an plus tôt. Je me trompais. À la première réunion, un des entraîneurs a fait l'appel des joueurs sur sa liste et à ma grande surprise, il n'a pas mentionné mon nom. Je suis allé le voir pour lui dire qu'il devait y avoir une erreur, mais Dave Morissette ne figurait vraiment pas sur sa liste.

L'homme qui m'avait recruté avait été congédié quelques semaines plus tôt et il y avait eu un manque de communication quelque part. Ils ont quand même décidé de m'accorder un essai. Il ne restait évidemment pas de chambre pour moi à l'hôtel puisque je n'étais pas sur la liste, mais ils ont fini par s'arranger. J'ai amorcé le camp la tête entre les jambes. Je m'étais entraîné très fort tout l'été, même si j'avais été abandonné par les Capitals, et je me retrouvais avec un club qui ne savait même pas que j'existais. Je me retrouvais dans les limbes du hockey professionnel.

Mon séjour au Vermont a duré sept jours. La direction ne tenait aucun *meeting* avec les joueurs, c'était vraiment géré «tout croche». J'ai eu la chance de disputer un match préparatoire contre l'équipe B du Canadien de Montréal, mais je n'ai pas réussi à convaincre les Whalers de me garder. Je suis rentré au Québec en autobus, le caquet bas. J'avais 20 ans, j'étais trop vieux pour retourner chez les juniors, je me demandais si ma carrière n'était pas finie. Et s'il fallait que je me retrouve à nouveau au tournoi des *Old Timers* de la brasserie de Baie-Comeau!

Quelques jours plus tard, le téléphone a sonné. C'était John Brophy. Il voulait que je retourne jouer sous ses ordres. Ça me tentait plus ou moins, mais comme il était le seul à manifester de l'intérêt pour moi, j'ai accepté son offre. Mon statut au sein de l'équipe avait changé. Je n'étais plus l'espoir des Capitals qui allait passer un certain temps dans la *East Coast*, j'étais désormais un joueur qui appartenait à la *East Coast*. Le cul-de-sac.

J'ai connu une saison 1992-93 misérable. J'avais mal aux genoux à cause des stéroïdes et John me téléphonait tous les matins pour que j'aille courir. Et il me faisait faire des heures supplémentaires de patinage après les matchs. C'était crevant et souffrant. Je ne voyais plus la lumière au bout du tunnel. Du côté des commotions cérébrales, ce n'était quand même pas trop grave. J'en ai fait quelques-unes, mais pas des grosses, seulement des *black-outs* mineurs.

La vie à l'extérieur de la patinoire était un peu plus agréable. Le propriétaire avait réussi à nous dénicher des appartements près de la plage. Je vivais avec ma blonde, je gagnais quand même autour de 300 $US par semaine à jouer au hockey, logement fourni; je me disais parfois que ça ne serait pas si mal de faire ça toute ma vie. Je ne jetais pas mon argent par les fenêtres, mais je n'avais aucun souci financier. On pouvait se payer des soirées au cinéma ou au restaurant sans problème. Mon rêve de jouer dans la Ligue nationale commençait à s'évanouir tranquillement. Je me disais que je devrais peut-être me trouver une job ici. C'est Nancy qui m'a fait prendre conscience qu'il y avait mieux ailleurs. Elle n'aimait pas trop cette vie-là. Elle travaillait comme serveuse, ce n'était pas payant. Elle n'arrêtait pas de me répéter: «Dave! T'es dans la *East Coast*. Réveille!» Ça me motivait.

En même temps, je me sentais coincé. Je n'avais pas d'autre choix que de continuer parce que je n'avais pas de métier. J'avais abandonné le cégep deux ans plus tôt, il n'était pas question de rentrer pour faire un bac à l'université. Je ne savais même pas ce que c'était, un bac. J'avais toujours mal aux articulations à cause des stéroïdes et de mes entraîne-ments inappropriés. Je n'avais aucun *coach* personnel, je ne recevais aucun conseil. Je suivais simplement un programme d'entraînement de culturiste, ce qui n'était pas une très bonne idée pour un joueur de hockey.

Plus la saison avançait, plus ma relation avec John Brophy se détériorait. Il ne me respectait plus. Il ne me parlait même plus, il se contentait de me donner des claques dans le dos pour que j'aille me battre. J'avais l'impression qu'il faisait ça plus pour se défouler qu'autre chose. À la fin de la saison, c'était clair dans ma tête que je ne jouerais plus jamais pour lui. J'ai tout de même fini l'année avec 9 buts et 13 passes en 54 matchs, ce qui allait être mon plus haut total dans ma carrière dans les rangs professionnels.

Je suis rentré et j'ai réfléchi à mon avenir. Plus d'équipe de la *East Coast*, pas de place dans la Ligue américaine ni dans la Ligue internationale — une ligue professionnelle dont le calibre s'apparentait à celui de la Ligue américaine — et encore moins d'espoir de jouer dans la LNH. J'ai repensé à mon cheminement et je me suis demandé si j'avais fait les bons choix. Est-ce que je n'aurais pas dû accepter l'offre de Harvard alors que j'étais encore dans le midget?

Quelques semaines après mon retour à Trois-Rivières, j'ai reçu un appel de Pierre Paiement, un Québécois qui allait lancer une nouvelle équipe de la *East Coast* à Roanoke, en Virginie. Il voulait absolument me rencontrer et m'avait donné rendez-vous au Colisée de Québec, à l'occasion du repêchage de la LNH, en juin 1993. Il m'a offert 425 $US par semaine mais je lui ai répondu que je n'avais pas envie de retourner dans cette ligue et que je songeais à abandonner le hockey. J'avais 21 ans et pendant que l'équipe de mes rêves, le Canadien de Montréal, célébrait encore sa conquête de la Coupe Stanley, je mijotais déjà des plans de retraite…

Paiement et son associé Jean Gagnon ont fini par me convaincre de me joindre à leur équipe, l'Express. Je retournais dans la *East Coast* mais au moins, je n'avais plus à subir les folies de John Brophy et mes patrons allaient être des Québécois. Je me suis présenté au camp d'entraînement moins massif, à 215 livres. Pour la première fois en deux ans, je n'ai ressenti aucune douleur aux mollets ni au dos. Dès mon arrivée, ils m'ont nommé capitaine de l'équipe. Je me sentais prêt à assumer ce rôle. J'en étais tout de même à ma troisième année chez les professionnels et j'étais de plus en plus conscient de l'importance d'être un bon leader. Je prenais mon rôle au sérieux. J'étais fier de m'adresser à « mon » équipe dans le vestiaire.

Je me suis encore une fois beaucoup battu cette saison-là. Mais il y a une limite à jouer de cette façon. Mon corps a lâché au milieu de l'hiver. Mes genoux commençaient déjà à m'abandonner lorsque je me suis fait solidement casser le nez. J'avais l'habitude de me briser le nez trois ou quatre fois par année, mais cette fois c'était plus sérieux. Je n'arrivais plus à respirer. J'avais une bonne saison et je ne voulais pas arrêter, mais j'ai dû me rendre à l'évidence, il fallait que je me fasse soigner. En réalité, c'était surtout à cause des genoux, parce que je pouvais toujours jouer et me battre avec un nez cassé. Je me suis fait réparer le nez et, en même temps, j'ai subi la troisième opération aux genoux de ma carrière.

Mais je ne voulais pas rater le reste de la saison. J'avais entendu dire que certaines équipes de la Ligue internationale s'intéressaient à moi en prévision de la prochaine saison. Ce n'était surtout pas le moment de rester à l'écart. Je me demandais comment j'allais réussir à revenir au jeu, tellement je me sentais mal. Et puis, je n'avais pas pu commencer ma réadaptation à cause de mon opération au nez. J'ai décidé de prendre un raccourci: un de mes coéquipiers s'est arrangé pour me trouver des stéroïdes. Il en consommait lui-même et il avait un contact dans la région de Greensboro, en Caroline du Nord. Au moins deux ou trois gars de l'équipe en prenaient, même s'ils n'avaient aucun espoir de percer.

Mon coéquipier m'a procuré la drogue, mais c'était un produit dont je n'avais jamais entendu parler. Il disait que c'était un genre d'huile avec de la testostérone. Je n'ai pas posé de questions. Il fallait maintenant que je trouve des seringues, ce qui est moins évident aux États-Unis. Je suis entré dans l'infirmerie et j'ai « emprunté » des seringues au soigneur de l'équipe sans qu'il s'en aperçoive. L'étiquette sur les fioles n'était pas la même que sur mes produits habituels. Ce n'était pas écrit « Pour usage vétérinaire seulement », parce que c'était une drogue destinée aux humains, mais on prévenait l'utilisateur du risque de perdre des cheveux.

J'ai commencé mon cycle à reculons. J'avais tellement peur de perdre mes cheveux que je me précipitais devant le miroir chaque matin. Et je comptais le nombre de cheveux qu'il restait dans mon casque après avoir joué! J'ai finalement jeté mes fioles aux poubelles après deux semaines. C'était vraiment ridicule. Je ne me méfiais pas des stéroïdes destinés aux animaux, mais j'hésitais à prendre un produit pour les humains simplement parce que j'avais peur de perdre mes cheveux. Il fallait que je sois vraiment innocent…

Je suis quand même revenu au jeu après quelques semaines d'absence. Dès mon premier match, je me suis fait casser le nez de nouveau! Ça m'a fait très mal, mais ce n'était rien comparé aux coups de poing que j'avais reçus sur le nez quand il était déjà fracturé. Cette fois, au moins, il venait d'être réparé!

Chapitre 5

Malgré mes blessures, j'ai fini en force cette saison 1993-94 avec l'Express de Roanoke. L'été suivant, j'ai enfin reçu la promotion que j'attendais : les dirigeants d'un nouveau club de la Ligue internationale basé dans le Midwest, le Moose du Minnesota, m'offraient 25 000 $US par année pour me joindre à leur équipe. J'étais aux anges. À ce jour, c'était le plus gros contrat de ma carrière. Et ils m'offraient en plus des petits bonis, entre autres pour me battre. Je recevrais 100 $ supplémentaires pour chaque bagarre et 100 $ si j'avais une fiche positive à la fin de la partie. Calculer une fiche de match est assez simple : si on se trouve sur la patinoire quand l'adversaire marque, on inscrit -1 à notre fiche ; si on est sur la glace lorsque notre équipe compte, c'est +1. Mon rôle consistait donc à me battre régulièrement et à ne pas mettre mon club en difficulté défensive pendant que je jouais.

J'ai encore pris des stéroïdes cet été-là. C'était une grosse année qui s'annonçait pour moi, je voulais impressionner mes nouveaux patrons. Je me suis présenté au camp d'entraînement à 220 livres, presque tout en muscles. J'ai aussitôt remarqué la différence de calibre entre la Ligue internationale et la *East Coast*. Les bagarreurs semblaient beaucoup plus aguerris. Beaucoup d'anciens joueurs de la Ligue nationale s'y retrouvaient. Ils étaient en majorité plus vieux et c'était souvent la dernière escale des vétérans avant leur retraite. Il y avait aussi des espoirs de la LNH qui poursuivaient leur apprentissage dans cette ligue.

Certains touchaient des salaires intéressants. Certains gars gagnaient 300 000 $US par année. On jouait dans une très belle ville, St. Paul, dans une région du Midwest qui me rappelait un peu le Québec. L'hiver est sec là-bas, il y a des arénas partout, beaucoup d'arbres, des lacs, et tout le monde est mordu de hockey comme chez nous.

Parmi les anciens de la LNH, il y en avait quelques-uns que je connaissais, comme Stéphane Morin, qui avait eu quelques belles saisons avec les Nordiques et qui est devenu mon meilleur *chum*. Il y avait aussi Yvon Corriveau, un ancien premier choix des Capitals de Washington, Dave Christian, qui avait eu une belle réputation de marqueur chez les Capitals, et quelques autres. Pour ma part, mon poste dans l'équipe était quasiment assuré car j'avais un contrat garanti. Et puis, le Moose du Minnesota ne pouvait quand même pas laisser passer le *Moose* du Québec!

Les différences sont frappantes quand on passe d'un vestiaire de la *East Coast* à celui de la Ligue internationale. D'abord, étant donné qu'un bon nombre de joueurs ont déjà touché des gros salaires auparavant dans la Ligue nationale, ou encore profitent d'un contrat généreux dans la Ligue internationale, on sent plus de richesse dans l'air. Les voitures sont plus luxueuses dans le stationnement de l'aréna, les gars sont mieux habillés : ils portent vestons et cravates à la mode, tandis que dans la *East Coast,* on ne faisait pas vraiment attention à ça. On voyage surtout en avion aussi, et on loge dans des hôtels de qualité.

Par contre, plus il y a d'argent, plus la qualité et la quantité de stimulants augmente. Il y avait toutes les sortes à St. Paul. J'avais presque l'impression d'être un enfant dans un magasin de bonbons. Les gars pouvaient se payer tous les Ripped Fuel qu'ils voulaient, tandis qu'à Norfolk et à Roanoke, on devait limiter notre consommation, faute de moyens. Il y avait aussi beaucoup de suppléments alimentaires et de protéines disponibles. Les gars faisaient plus attention à leur ligne. Ils ne mangeaient pas beaucoup de *fast food*.

Il n'y avait rien d'anormal à consommer des Ripped Fuel et des Sudafed pour se remonter avant nos matchs parce qu'on jouait parfois quatre soirs de suite. Quel être humain peut suivre un tel rythme? D'ailleurs, personne ne se cachait pour en prendre dans le vestiaire. Je dirais qu'une bonne majorité des gars jouaient « là-dessus ». Les effets de l'éphédrine étaient mal connus à l'époque. Un de nos coéquipiers, un vétéran de 10 saisons dans la LNH, souffrait de sérieux problèmes d'arythmie, mais les médecins ne semblaient pas voir de relation entre sa maladie et sa consommation de Ripped Fuel. Il lui arrivait souvent de manquer des matchs à cause de ça.

J'avais besoin des Ripped Fuel pour jouer parce que je savais que mes adversaires en prenaient et je ne voulais pas qu'ils aient un avantage sur moi. C'était facile, pendant l'échauffement, d'identifier ceux qui en avaient pris. On les remarquait à leurs tics. Moi, j'essayais toujours de camoufler ça. Je connaissais un joueur qui avait fait un *burnout*. Il consommait des antidépresseurs et des Ripped Fuel en même temps avant ses matchs. C'était assez spécial.

Le matin d'une rencontre dans l'Utah, je me suis rendu compte qu'il ne me restait plus de Ripped Fuel pour la soirée. J'avais absolument besoin d'un remontant puisqu'il s'agissait de notre troisième match en trois jours. J'avais des Sudafed mais ce n'était plus assez fort pour moi. J'ai décidé d'essayer des pilules de caféine. Je me suis rendu dans un *truck stop* pour les acheter. Une petite pilule équivalait à trente cafés noirs. J'ai pris une bonne douche brûlante dans le vestiaire avant de passer mon uniforme et, comme je le faisais avant chaque partie, j'ai pris mes pilules. La même routine que les Ripped Fuel, quoi : deux pilules avant l'échauffement et une ou deux autres avant le match si je n'avais pas assez de sensations. Alors, j'avais mes soixante cafés dans le corps pendant l'échauffement, mais je ne ressentais rien de spécial. J'ai donc pris deux autres pilules avant le début du match. J'étais rendu à 120 cafés. Là, j'ai commencé à en sentir les effets…

J'étais sur le banc et mon cœur battait de façon effrayante. J'étais persuadé que je faisais une crise cardiaque. Je pensais que mon heure était venue. Je ne m'étais pas méfié, je croyais que mes quatre pilules équivalaient aux quatre Ripped Fuel que je prenais d'habitude. Je n'avais aucune idée de ce que je venais d'avaler. Moi qui déteste rater des parties, je n'ai pas terminé celle-là. Rentré au vestiaire, j'étais dans un état second. Je n'en ai parlé à personne, évidemment. C'est gênant de dire au soigneur qu'on vient de faire une *overdose* de caféine. J'ai passé une nuit horrible. Stéphane, qui partageait ma chambre d'hôtel, se demandait ce qui m'arrivait. J'entendais des pas autour de mon lit, alors que tout était silencieux. J'avais vraiment des hallucinations. Je n'ai plus jamais touché à ça.

Un autre phénomène qui se produit souvent dans ce milieu est celui du *gambling*. Quand les gars sont riches, ils peuvent facilement s'y adonner. On parie beaucoup dans la Ligue internationale. J'ai vu des hockeyeurs de talent perdre leur paye en jouant au poker dans l'avion. Quand on allait affronter le Thunder de Las Vegas, on déposait nos sacs dans notre chambre d'hôtel et on passait une nuit blanche au casino. Les anciens de la LNH avaient les moyens de miser de gros montants. Certains pouvaient gagner jusqu'à 5 000 ou 6 000 $ en une soirée.

Le directeur général du Moose s'appelait Glen Sonmor. C'était l'ancien entraîneur des North Stars du Minnesota dans la LNH. Sonmor avait réussi à contrôler son alcoolisme et il donnait souvent une deuxième chance aux joueurs qui avaient eu des problèmes «de boisson». Il avait embauché des gars comme Link Gaetz, Lindon Byers et Bryan Fogarty, trois joueurs qui avaient gâché leur entrée dans la Ligue nationale à cause de l'alcool.

Quand il était dans le junior, Fogarty était perçu par plusieurs comme le successeur du grand défenseur Bobby Orr. Les Nordiques l'avaient repêché à la première ronde en 1987, mais il n'avait jamais été à la hauteur des attentes à cause de sa dépendance à la drogue et à l'alcool. Bryan était spécial. Une fois, il a été cloué au banc après un mauvais début de partie. Il a quitté l'aréna en plein match pour se rendre au casino du coin. Ce soir-là, il a gagné une automobile. Il est revenu dans le vestiaire après la rencontre et il était tout fier de nous montrer les clefs de sa nouvelle bagnole. L'entraîneur l'a envoyé promener et on ne l'a plus jamais revu. Il n'a jamais réussi à revenir dans la Ligue nationale et il est mort tragiquement, cinq ans plus tard, d'une crise cardiaque provoquée par ses abus de drogue et d'alcool. Il avait 32 ans.

Byers ne donnait pas sa place, lui non plus. J'aimais bien Lindon. On avait une belle complicité, lui et moi. À son arrivée dans le Moose, il était sobre depuis un bon moment. Il semblait avoir gagné sa bataille contre l'alcoolisme. Puis un soir, alors qu'on était dans un resto-bar de San Diego, il m'a demandé de lui passer une bière, juste pour la tenir dans ses mains comme les autres gars de l'équipe. Je lui en ai donné une et j'ai quitté le restaurant un peu plus tard. Le lendemain matin, il était introuvable au moment de prendre l'avion pour rentrer au Minnesota. On l'a revu deux semaines plus tard, il venait chercher ses effets personnels à l'aréna. Je me suis senti coupable de lui avoir mis une bouteille entre les mains…

Gaetz, lui, s'est entraîné un mois avec nous à St. Paul. Puis, subitement, on a cessé de le voir aux pratiques. Il avait recommencé à sortir. Ça a été la fin de son association avec le Moose. En quatre semaines avec nous, Link avait eu le temps de me donner de précieux conseils car il était lui-même un bagarreur redoutable. Depuis cinq ans maintenant, il joue dans le semi-pro au Québec. Il avait pourtant tout pour réussir. J'ai vu tellement de carrières gâchées à cause de l'alcool. Tu commences à boire dans les rangs junior et tout le monde trouve ça drôle. Mais certains sont incapables d'arrêter par la suite.

J'ai subi plusieurs autres commotions cérébrales cette année-là. Trois grosses et quelques petites. Un coup de poing bien placé pendant une bagarre pouvait me faire voir toutes sortes de couleurs, ou simplement me faire disjoncter. C'est un drôle de *feeling*. Tout devient complètement noir, tu ne vois plus rien pendant une fraction de seconde, mais la bagarre n'arrête pas. Tout se passe tellement vite. Tu continues à frapper parce que tu es sur l'adrénaline, tu ne sais pas vraiment ce qui se passe. Les arbitres venaient nous séparer et je voyais tout en bleu, puis en rouge, puis en vert. J'arrivais au banc des punitions et je ne savais même pas qui avait gagné le combat. Mais je n'aurais jamais admis que j'étais sonné, j'étais bien trop fier pour ça. À ce niveau du hockey, de toute façon, les commotions cérébrales étaient courantes dans ce temps-là. On ne ratait pas de matchs à cause de ça, d'autant plus qu'avoir mal à la tête, c'était normal pour moi.

Mon agent est souvent venu me voir au Minnesota. Il faisait du recrutement et il venait habiter chez moi. Il réussissait à recruter de plus en plus de joueurs qui frappaient à la porte de la Ligue nationale, comme Patrick Côté et Georges Laraque. Je commençais néanmoins à me méfier de lui. Je le soupçonnais de ne pas être tout à fait honnête. Je l'écoutais discuter avec certains de ses joueurs, il leur demandait toujours de lui confier de l'argent pour le placer à la bourse, il leur racontait des histoires à dormir debout. Heureusement, je n'étais pas assez riche pour lui donner de l'argent à investir. Et de toute façon, si j'en avais eu les moyens, je ne l'aurais sans doute pas fait.

J'ai connu une excellente première année au Minnesota même si, encore une fois, j'étais souvent blessé. Je suis rapidement devenu l'un des joueurs les plus populaires de l'équipe malgré le fait que je ne comptais presque jamais. Mon surnom prédestiné de *Moose* y était peut-être pour quelque chose. À la fin de la saison, le club m'a accordé un nouveau contrat d'un an, avec une belle augmentation de salaire. Je suis passé de 25 000 à 40 000 $US par an. Une fortune à mes yeux. Sauf que l'appartement n'était plus gratuit comme la saison précédente : il me coûtait 800 $ par mois.

Cette année a été bien particulière aussi, parce que Nancy m'a appris qu'elle était enceinte pour la première fois. J'étais aussi heureux qu'inquiet. J'avais fait un cycle de stéroïdes quelques mois plus tôt et quelqu'un m'avait raconté que ça pouvait être dangereux pour le bébé. Je ne voulais surtout pas que mon enfant soit infirme. Un de mes amis culturistes de Shawinigan, qui en consommait régulièrement, a tenté de me rassurer : ses enfants étaient nés parfaitement normaux. J'ai partagé mes inquiétudes avec ma blonde, qui était au courant de mon dopage depuis quelques années. Elle a subi des examens plus approfondis qui n'ont rien décelé d'anormal.

Nancy n'a jamais été d'accord avec ma consommation de stéroïdes. Elle s'inquiétait des effets néfastes que ça pouvait avoir sur ma santé. Elle m'aimait et ne voulait pas me perdre à cause de ça. De mon côté, je me disais qu'il fallait que j'en prenne, que c'était le prix à payer pour réussir. J'ai donc choisi d'éviter le sujet avec elle. On n'en parlait jamais ; c'était devenu tabou. Elle ne savait même pas où je cachais mes produits. Je ne voulais pas qu'elle se sente coupable ni complice. On a fait un pacte : on ne parlerait jamais de hockey à la maison. Je ne voulais pas ramener mes problèmes professionnels chez moi. Je ne parlais pas, non plus, de mes combats ou de mon temps de glace limité par les punitions ou les blessures. Le temps qu'on partageait en famille, c'était sacré. Les seules fois où je lui parlais de mon travail, c'était quand je marquais des buts…

ce qui veut dire qu'on ne parlait vraiment pas souvent de hockey!

Jeremy est né le 7 septembre 1995. Le camp d'entraînement au Minnesota commençait en même temps. La direction de l'équipe m'a permis d'arriver en retard de quelques jours. On aurait pu se rendre au Minnesota plus tôt, mais on n'était pas millionnaires et un accouchement coûte entre 10 000 et 11 000 $US dans un hôpital américain. Les assurances de l'équipe auraient couvert les frais, mais ça prenait des mois avant de se faire rembourser et je n'avais pas les moyens d'avancer l'argent.

J'ai eu deux jours pour serrer mon garçon dans mes bras avant de les quitter, Nancy et lui, pour un long mois. Je suis parti en auto vers le Minnesota avec une remorque à l'arrière pour transporter nos meubles. J'étais brûlé et ça ne me tentait pas de me taper une vingtaine d'heures de route consécutives. Heureusement, j'avais mes Sudafed…

Cette période a été difficile pour Nancy. Elle ne pouvait pas prendre l'avion avant trois semaines et on a dû vivre séparés tout ce temps-là. Elle est allée vivre chez sa mère parce qu'elle voulait être entourée de sa famille. Mon cœur me disait de rester avec ma blonde et mon enfant, mais il fallait que je pense à ma carrière.

À mon arrivée à St. Paul, j'étais exténué comme je ne l'avais jamais été. J'étais comme un zombie. Peu après m'être couché pour la nuit, j'ai eu envie d'aller aux toilettes. À mon retour dans la chambre, je me suis lancé sur mon lit, les bras grands ouverts, mais j'ai raté ma cible et j'ai atterri sur la table de chevet. Je me suis pété le crâne sur le coin de la table, cassé le petit orteil et démis un doigt; belle façon de commencer un camp d'entraînement! Quand j'ai vu les gars le lendemain, je n'ai pas osé leur dire la vérité. Je leur ai raconté que quelqu'un m'avait ouvert une porte dans la face. Ils ne voulaient évidemment pas me croire. Ils étaient convaincus que je m'étais battu, moi qui ne me battais jamais en dehors de la patinoire.

À cause de ma mésaventure, j'ai dû prendre des anti-inflammatoires dès le premier jour du camp d'entraînement. D'habitude, je ne commençais jamais à en prendre avant la deuxième ou troisième journée, le temps de recevoir quelques mauvais coups sur la patinoire. À cause des mes blessures aux jointures et de mes douleurs aux genoux, je consommais régulièrement des anti-inflammatoires pendant la saison. Je pouvais en prendre en moyenne deux semaines par mois. J'ai commencé cette habitude dans les rangs junior et je n'ai jamais cessé par la suite. C'était beaucoup plus facile de s'en procurer dans les rangs professionnels, car les soigneurs en sortaient tant qu'on en voulait de l'infirmerie, contrairement au niveau junior où il nous fallait une prescription du médecin pour en acheter.

La naissance de Jeremy a complètement changé ma façon de voir la vie. J'avais désormais un enfant et je me sentais responsable de quelqu'un. Je voulais être sûr qu'il ne manque jamais de rien et ça me motivait doublement à faire tous les efforts possibles pour atteindre la Ligue nationale. J'avais toujours une pensée pour mon garçon avant chaque match. Ça a changé ma perception de la *game* également.

Pendant le camp d'entraînement, j'ai remarqué sur la glace un jeune joueur d'âge junior qui cherchait à se faire un nom. Il poussait un peu tout le monde et cherchait la bagarre. À un moment donné, il a bousculé mon compagnon de chambre, Stéphane Morin. Je me suis interposé et on a jeté les gants. Je savais qu'il n'était pas de mon calibre, mais j'y suis allé quand même, parce qu'il devait payer le prix pour avoir frappé un de nos bons joueurs. D'un seul coup de poing, je lui ai fracturé le nez et l'os de la joue. Il faisait pitié à voir. Il y avait du sang partout sur la glace.

Sur le coup, je me suis dit que je n'avais aucune raison de me sentir mal puisque j'avais fait ma job. Mais la culpabilité m'a rattrapé après le match. Je me disais que ce pauvre jeune allait avoir une cicatrice pour le reste de sa vie à cause de moi. Je venais de mettre un garçon au monde et je défigurais un jeune homme, presque encore un enfant, quelques jours plus tard. J'ai été pris d'un nouveau dégoût pour la bataille. C'est comme si je venais de prendre conscience que je cassais des gueules pour gagner ma vie. J'ai téléphoné à Nancy pour lui raconter mes états d'âme. J'étais tout à l'envers. Mais c'était ma job et c'est tout ce que je savais faire. Je suis allé m'excuser auprès du gars par la suite. Il n'est pas revenu au camp et on ne l'a jamais revu. À partir de ce jour, j'ai décidé d'essayer de me motiver autrement que par la haine, de me contenter de faire mon travail correctement sans chercher à «tuer» mon adversaire.

J'ai pu enfin retrouver mon fils et le tenir dans mes bras trois semaines après mon arrivée au Minnesota. Quand Nancy et lui m'ont rejoint, Jeremy ne faisait pas encore ses nuits. Et on ne connaissait pas de gardienne de confiance. On se sentait vraiment isolés. Il n'y avait aucune famille pour nous épauler. C'était très dur pour Nancy car l'équipe était souvent en voyage. Elle a beaucoup pleuré pendant cette période. C'était plus facile pour moi, car j'étais entouré de mes coéquipiers.

L'équipe des Mooses n'était pas très bonne à ma deuxième année avec eux et il n'y avait pas beaucoup de monde à nos matchs. Mais personnellement, j'ai eu une bonne saison même si des blessures m'ont fait rater plusieurs semaines de jeu. En décembre, j'ai dû rentrer au Québec pour subir une importante opération à la cage thoracique. Je m'étais déchiré un muscle pectoral gauche pendant une bagarre. J'ai frappé mon adversaire si fort d'un crochet de la gauche que mon épaule a presque lâché. Mes muscles étaient tellement puissants qu'ils ont retenu l'épaule en place, et ce sont mes pectoraux qui ont encaissé le choc. Je n'aurais sans doute pas subi ce genre de blessure si je n'avais pas eu recours aux stéroïdes. Au moins, ça m'a permis de passer un mois en famille, au Québec, pendant les Fêtes.

Même si je n'avais pas atteint mon objectif de jouer dans la LNH, je préparais déjà mon «après-carrière». J'avais commencé à faire de la radio deux ans plus tôt à Roanoke. On m'avait donné ma propre émission, une ligne ouverte sur le sport que j'animais avec beaucoup de plaisir. Il faut dire que mon anglais s'était beaucoup amélioré depuis mon arrivée aux États-Unis. À mon grand étonnement, j'avais fait des progrès foudroyants. Je faisais aussi des annonces pour la chaîne de restaurants *Hardee's* et ils me payaient en coupons. J'en ai mangé, des hamburgers *Hardee's*!

En acceptant ces jobs, je me disais que ça m'ouvrirait des portes si jamais ma carrière au hockey devait se terminer subitement. À St. Paul, on m'a offert une émission de télévision sur le hockey, *Moose's Toughts*, et j'ai accepté avec enthousiasme. Il y avait seulement 2 000 spectateurs en moyenne à nos matchs, mais les fans semblaient m'apprécier et on me demandait de faire des annonces pour l'équipe. Mon surnom était synonyme du club.

Je me sentais progresser énormément avec le Moose du Minnesota, mais la situation de l'équipe ne s'améliorait pas. Les défaites s'accumulaient et les gradins étaient de moins en moins garnis. Il y avait même des rumeurs de déménagement du club au Canada. Des gens de Winnipeg s'y intéressaient. J'ai tout de même signé un contrat pour l'année suivante avec la direction de l'équipe. C'était pour le même salaire, 40 000 $US en plus des bonis.

Je suis rentré au Québec, à la fin de la saison 1995-96, avec ma petite famille dans l'auto et la remorque remplie de meubles à l'arrière. On s'est mariés cet été-là, Nancy et moi. Comme cadeau de mariage, le «doc» Tousignant m'a offert de payer la noce. C'était super!

Au cours de l'été, mon agent m'a annoncé une nouvelle extraordinaire: les Oilers d'Edmonton étaient prêts à m'accueillir à leur camp d'entraînement en septembre! Les Oilers venaient de rater les séries éliminatoires pour une quatrième année consécutive, six ans après avoir remporté leur dernière Coupe Stanley en 1990. Ils avaient plusieurs bons jeunes en pleine ascension, Doug Weight, Ryan Smyth, Jason Arnott, Todd Marchant et Mike Grier entre autres, et je me disais qu'il y avait peut-être un poste pour un dur à cuire comme moi parmi eux. Je ne tenais plus en place. C'était mon premier camp de la Ligue nationale en quatre ans.

La direction du Moose a accepté de me laisser participer au camp des Oilers. Les équipes de la Ligue internationale n'empêchaient généralement pas leurs joueurs de tenter leur chance dans la Ligue nationale. Si ça ne fonctionnait pas, une place m'attendait au sein de l'équipe, mais au Manitoba plutôt qu'au Minnesota puisque que le club avait été vendu au cours de l'été. Nancy et moi, on a discuté de nos projets et on a décidé qu'elle demeurerait chez son père pendant mon camp d'entraînement, en attendant de savoir où on allait habiter cet hiver-là.

Une semaine avant le début du camp d'entraînement, j'ai eu une bonne conversation avec mon frère Jason. On pensait qu'il avait des problèmes d'alcool, mais il répondait toujours que prendre trois bières, ça ne voulait pas dire qu'on était alcoolique. L'était-il vraiment? Moi-même, quand j'étais encore plus jeune que lui, dans les rangs junior, je buvais probablement davantage. Toujours est-il qu'à 21 ans, Jason ne travaillait pas et cherchait un sens à sa vie. Il se trouvait dans un centre de désintoxication quand je lui ai téléphoné avant mon départ. Mon père l'avait envoyé là en lui fixant certains objectifs.

Mon frère était découragé. Je lui ai dit de ne pas s'inquiéter, de faire sa semaine là-bas, et je lui ai répété que je l'aimais très fort. J'étais son protecteur et je lui disais toujours que je l'aimais. Il en avait besoin. Avant de raccrocher, je lui ai annoncé que je devais partir pour Edmonton, mais qu'il pouvait m'appeler en tout temps, que je serais là pour lui.

Quelques jours plus tard, juste avant mon départ pour l'Ouest, j'ai reçu un appel de mon demi-frère, le fils de la nouvelle compagne de mon père. Il m'a dit : « Dave, c'est à propos de Jason. » J'ai tout de suite compris. Ils l'avaient retrouvé pendu à un arbre derrière la maison de mon père. Il portait les mêmes vêtements qu'à mon mariage et il avait dans sa poche une photo de Jeremy, son filleul. Il était tellement fier d'être le parrain de mon petit gars. Avant de se suicider, il lui avait envoyé par la poste un petit gant de baseball jaune pour son anniversaire quelques jours plus tard.

Je suis parti de Trois-Rivières en auto pour annoncer la nouvelle à ma mère, car il n'était pas question de lui dire ça au téléphone. Quand elle m'a vu, elle est tombée à genoux devant moi. Je n'ai pas eu à dire un mot.

J'étais dans un état difficile à décrire. Je ne voyais pas Jason souvent à cause du hockey, mais j'étais son grand frère. Le même sang coulait dans nos veines. Les gens ont beau nous dire qu'on n'a rien à se reprocher, on se sent toujours un peu coupable dans ces cas-là. Il avait toujours été dans mon ombre. Quand je rentrais à Baie-Comeau, j'étais le joueur de hockey professionnel. Lui, il cherchait quoi faire de sa vie. Il avait écrit plus de deux cents chansons dans lesquelles il disait qu'il se sentait seul au monde et qu'il n'arrivait pas à aimer la vie. Il parlait de suicide. Je n'ai pas su l'aider. Si je n'avais pas eu de famille à ma charge, je me serais peut-être suicidé à mon tour pour aller le rejoindre, tenter de savoir s'il était bien, là où il se trouvait.

Le camp des Oilers allait commencer bientôt. Je n'avais pas envie de partir parce que je voulais rester au Québec pour soutenir ma famille. Je pensais constamment à mon frère, je lui demandais de m'aider à prendre la bonne décision. Mais je ne pouvais pas me permettre de rater un rendez-vous aussi important pour ma carrière. C'est sans doute aussi ce que Jason m'aurait suggéré de faire. J'ai donc pris l'avion pour l'Alberta peu après qu'on eût enterré mon frère. J'étais complètement déprimé, mais j'essayais de me convaincre qu'il ne s'était rien passé et que, de toute façon, je ne voyais jamais Jason à cette période-ci de l'année. J'essayais de me faire croire qu'il était juste parti pour un bout de temps. Un joueur essaie toujours de se mentir à lui-même dans les moments difficiles pour ne pas nuire à sa performance.

Je me suis vite rendu compte que je n'étais pas le seul dur à cuire à ce camp d'entraînement. Les Oilers comptaient plusieurs bagarreurs dans leur organisation, et parmi eux Luke Richardson, Dennis Bonvie ainsi que Georges Laraque, qui commençait sa carrière chez les professionnels. Je ne partais certainement pas favori. Un journaliste d'Edmonton avait même écrit dans son quotidien qu'Alanis Morissette avait de meilleures chances de « faire » le club que Dave Morissette !

J'aurais préféré avoir une couverture médiatique plus favorable, mais ça ne me dérangeait pas. Un des *trainers* m'avait encouragé en me disant que presque tout le monde dans l'entourage de l'équipe avait entendu parler de la réputation de bagarreur du *Moose*.

J'ai été bien traité par les Oilers. Je n'étais plus le petit jeune inexpérimenté qui se pointait à un camp d'entraînement de niveau professionnel; je crois que j'inspirais un peu plus de respect. J'ai livré plusieurs combats pendant le camp, mais je voyais bien que je n'étais pas le plus *hot* du groupe. Je savais que je ne figurais pas dans leurs plans. J'ai participé à plusieurs rencontres préparatoires, mais jamais contre des formations de la Ligue nationale. On me faisait plutôt jouer avec l'équipe B. Une dizaine de jours plus tard, ils m'ont remercié d'être venu et m'ont renvoyé. Ils auraient été prêts à m'embaucher dans leur club-école mais, comme j'étais sous contrat avec le Moose de Winnipeg, ils ne pouvaient pas le faire. Ce ne fut pas mon meilleur camp, j'en conviens. Psychologiquement, je n'étais pas en forme à cause de la mort de mon frère. Je n'étais pas en mesure de faire mon travail comme il faut.

J'ai pris l'avion pour rejoindre ma famille au Québec. Je voulais ramener Nancy et Jeremy au Manitoba en auto. Au moins, mon salaire de la Ligue internationale m'avait permis d'acheter une bonne voiture, une Mazda 626 de l'année. Le Moose avait un nouveau directeur général et entraîneur bien connu des Québécois, Jean Perron. Ça me remontait le moral. J'avais suivi les exploits de Perron durant l'avant-dernière conquête de la Coupe Stanley par le Canadien, en 1986, et j'avais toujours beaucoup d'admiration pour lui. J'avais eu la chance de le rencontrer dans une école de hockey, quand j'étais dans les rangs bantam, et ça m'avait beaucoup impressionné.

En arrivant au camp d'entraînement toutefois, je n'ai pas eu un très bon *feeling*. Il y avait plusieurs nouveaux visages, dont un dur à cuire du nom de Darrin Kimble qui avait joué pour Perron avec les Nordiques de Québec. Je ne me sentais pas vraiment bienvenu, même s'il restait un certain nombre de joueurs de l'équipe du Minnesota, comme mon grand copain Stéphane Morin. J'étais heureux, au moins, de pouvoir compter sur mon complice des deux dernières années. Il m'avait beaucoup aidé les saisons précédentes. Quand on arrivait dans une nouvelle ville ensemble, on déposait nos sacs dans notre chambre d'hôtel et on se rendait directement au restaurant. Stéphane m'incitait toujours à sortir pour me changer les idées, contrairement à certains de nos coéquipiers qui restaient enfermés dans leur chambre jusqu'au match. «On est en voyage, me disait-il, faut voir du monde, voir la ville un peu, et pas seulement à travers la fenêtre. Peut-être qu'on ne reviendra jamais ici.»

On jasait beaucoup, Stéphane et moi. Il avait joué avec les Nordiques et il me parlait souvent de la Ligue nationale. Il me faisait rêver. Il était toujours vêtu de complets Hugo Boss, tandis que moi, je m'habillais chez *Tip Top*. Il m'a fait découvrir les bons restaurants et m'a même montré comment repasser mes vêtements! Il me parlait du traitement royal que les joueurs de la Ligue nationale pouvaient recevoir dans certains endroits. Je trouvais ça incroyable d'être aussi bien payé pour pratiquer le métier qu'on aime. Il arrivait parfois à Stéphane de me prêter de l'argent quand on allait souper en groupe. Les gars qui avaient joué dans la Ligue nationale commandaient souvent des bouteilles de bon vin pendant le repas et après, il fallait partager la facture. Avec mon salaire, je n'avais pas assez d'argent pour les suivre.

On a passé la première semaine du camp d'entraînement dans une petite chambre d'hôtel en attendant de se trouver un appartement. C'était tellement minuscule que Jeremy couchait dans la garde-robe, la porte ouverte bien sûr. Le temps était gris, c'était déprimant. Jean Perron ne me parlait pas beaucoup. Une ambiance étrange régnait au sein de l'équipe pendant tout le camp. On sentait un vent de mutinerie dans l'air. L'adjoint de Perron, Randy Carlyle — une ancienne vedette de la LNH qui avait vécu ses heures de gloire avec les Jets de Winnipeg — voulait sûrement son poste et manœuvrait en coulisses. Carlyle et certains joueurs se moquaient de l'accent de Perron quand il avait le dos tourné. Carlyle imposait même son propre plan de match après que Perron eut donné ses instructions aux joueurs. On sentait vraiment une tension entre anglophones et francophones. Étant donné que Jean Perron était un Québécois comme nous, on croyait l'avoir de notre bord, mais il ne nous parlait jamais. J'avais l'impression que je ne faisais pas partie de ses plans.

On a finalement trouvé un appartement une dizaine de jours après notre arrivée. La femme de Jean Perron nous a beaucoup aidés, c'est elle qui a fait les démarches pour notre logement. On l'a eu pour un bon prix, 500 $ par mois. Quand les peintres ont finalement terminé leur ouvrage, j'ai téléphoné à la femme de Jean pour lui dire qu'on emménageait, la remercier et lui donner notre nouveau numéro de téléphone ; tout était parfait. On est entrés dans l'appartement à huit heures du soir et on a défait nos boîtes jusqu'à quatre heures du matin. J'étais pas mal fier parce qu'on avait réussi à tout installer en une seule nuit. Même le câble fonctionnait déjà. Je me suis couché pas mal crevé et je n'ai pas dormi très longtemps parce que j'avais un entraînement ce matin-là.

Quand je suis arrivé à l'aréna vers sept heures du matin pour m'entraîner avant tout le monde, Jean m'a accueilli avec le sourire et m'a fait signe de monter à son bureau. Je l'ai rejoint immédiatement. Aussitôt, il m'a lancé: « *Moose*, j'viens de faire un échange. Tu t'en vas à Houston. »

Je n'en croyais pas mes oreilles. J'ai éclaté : « Écoute, Jean, je suis bien content de me retrouver à Houston, dans un club gagnant, mais t'aurais pas pu me l'annoncer hier ? J'viens de passer la nuit à dépaqueter. En plus, j'ai pris la peine de téléphoner à ta femme hier soir et elle ne m'a rien dit. Tout allait bien. » Jean ne savait pas trop quoi répondre. Il a fini par dire : « Je l'ai su très tard, trop tard pour te prévenir à temps. »

J'étais en maudit, mais je n'ai pas voulu faire d'histoire. Au moins, je me retrouverais dans une très bonne organisation, qui attirait en moyenne 10 000 spectateurs par match, et ma famille allait passer l'hiver au chaud. Winnipeg, c'était un peu la Sibérie du hockey pour les joueurs de la Ligue internationale.

Quand je suis arrivé à Houston, mes nouveaux patrons m'ont appris à ma grande surprise que l'échange avait été conclu deux semaines plus tôt. Mais il y avait eu des complications. L'ancien propriétaire du Moose, au Minnesota, détenait encore des parts dans le club et s'opposait à mon départ. Sur le coup, j'en ai voulu à Jean. Je me disais qu'il aurait pu me prévenir et m'éviter le voyage au Manitoba, puisqu'il cherchait à m'échanger. Ou, au moins, ne pas me laisser emménager avec toute ma famille pour m'annoncer l'échange le lendemain matin. Mais il avait sans doute beaucoup d'autres chats à fouetter en cette période difficile.

Je ne suis pas rancunier. J'ai reparlé à Jean plusieurs années plus tard et c'était correct. La suite n'a pas été très rose pour lui au Manitoba, après mon départ. Il s'est débarrassé de quelques autres Québécois, dont Stéphane Morin, et il s'est retrouvé isolé. L'équipe a connu des ennuis sur la glace et la direction l'a congédié après 50 matchs pour le remplacer par Carlyle. Il n'a plus jamais dirigé une équipe professionnelle par la suite. S'il avait pu s'allier à nous, les choses se seraient peut-être passées autrement pour lui.

Chapitre 6

MON DÉTOUR PAR LE TEXAS

Je me suis vite senti apprécié par les dirigeants des Aeros de Houston. L'entraîneur, Dave Tippett, s'est empressé de me téléphoner pour me dire qu'il était ravi de l'échange. Je ne le connaissais pas personnellement, seulement de réputation parce qu'il avait été un solide joueur pour les Whalers de Hartford autrefois. Il allait devenir le meilleur *coach* à m'avoir dirigé.

Je n'ai su le fin mot de l'histoire qu'en 2004, pendant les célébrations du dixième anniversaire de l'équipe, quand j'ai demandé à Tippett contre qui j'avais été échangé. J'étais curieux parce que cet échange d'un club à l'autre avait été mon premier. Dave m'a répondu qu'ils attendaient encore la contrepartie. J'avais été échangé contre ce qu'on appelle des « considérations futures » dans le jargon du hockey. Ils n'ont même pas eu à donner une douzaine de bâtons pour obtenir mes services…

Les Aeros de Houston avaient une organisation assez bien structurée et traitaient bien leurs joueurs. Ils avaient de la classe. Je me préparais à faire le trajet entre Winnipeg et Houston en auto avec mes meubles dans la remorque, comme je l'avais fait entre le Minnesota, Trois-Rivières et Winnipeg, mais ils m'ont dit de ne pas m'occuper de ça. Ils ont payé des billets d'avion à toute ma petite famille et les coûts du déménagement. J'étais très agréablement surpris. Un membre de l'équipe nous attendait à notre arrivée à l'hôtel. Il m'a reconduit directement à l'aréna. Je connaissais déjà quelques joueurs, dont Brent Hugues, Graham Townsend et Alan May. Ma première rencontre avec Tippett a été chaleureuse. Il semblait avoir du respect pour ses joueurs et ceux-ci le lui rendaient bien. Personne ne l'avait jamais entendu crier et ses gars ne voulaient pas le décevoir.

Le lendemain, il nous fallait trouver un appartement. L'équipe a payé quelqu'un pour nous aider à en trouver un. C'était vraiment le grand luxe. J'étais bien traité par le Moose du Minnesota, mais jamais comme ici. Je sentais que je me rapprochais de la Ligue nationale, question qualité de vie.

Les clubs changent, mais pas les habitudes de consommation des joueurs, par contre. La plupart des gars avaient leurs petites pilules. Cette année-là, en 1996, l'existence d'un nouveau produit est venu aux oreilles des joueurs, à la suite du scandale de Mark McGwire au baseball: la créatine. C'était la première fois qu'on en entendait parler et c'est vite devenu populaire. Il s'agissait en fait d'une alternative intéressante aux stéroïdes, surtout parce que c'était parfaitement légal. La créatine permettait de prendre du poids sans provoquer d'effets secondaires néfastes comme les stéroïdes, disait-on. De la poudre dans un *milk shake*, ça paraissait beaucoup plus inoffensif que des aiguilles. Quatre ou cinq joueurs de l'équipe ont commencé à en prendre, mais pas moi, parce que ça coûtait trop cher. C'était environ 60 $ le pot. J'allais avoir l'occasion d'en prendre avec le Canadien quelques années plus tard, car l'équipe en fournissait gratuitement aux joueurs qui en demandaient.

J'ai commencé à suivre une routine de vrai hockeyeur professionnel à Houston. J'avais des heures prévues pour une sieste et une collation l'après-midi, et je faisais vraiment attention à ce que je mangeais. Les jours de match, je dînais vers une heure et je dormais tout l'après-midi. Je prenais une collation vers quatre heures et je me faisais un gros *shake* de protéines parce que je ne soupais pas; je ne voulais pas me remplir l'estomac à moins de deux heures de la partie.

Je me sentais de plus en plus proche de la Ligue nationale. L'équipe était meilleure, l'organisation plus professionnelle et il y avait encore plus d'anciens de la LNH au sein du club. Les presque trois quarts des joueurs des Aeros avaient déjà joué « en haut ». Les gars étaient plus riches et ils parlaient d'argent et d'actions en bourse. Je ne comprenais pas trop leur langage.

Dans la *East Coast*, personne ne parlait d'actions, on parlait surtout de l'argent qu'il nous restait dans les poches...

Ça parlait beaucoup de fric, mais personne ne se vantait de sa fortune. L'équipe était très unie. J'étais vraiment motivé à l'idée d'accéder à un niveau supérieur en entendant les gars raconter des histoires de la Ligue nationale. D'autant plus que Dave Tippett me disait qu'il allait m'aider à réaliser mon objectif si je faisais du bon boulot pour lui.

Plus il y a d'argent, plus il y a de filles dans l'entourage d'une équipe. Plusieurs gars ont leurs «contacts» dans les différentes villes qu'ils visitent régulièrement. Ça fait partie de la culture du hockey. On a grandi là-dedans depuis notre adolescence. Quand on est jeune, on voit notre coéquipier tromper sa blonde et on trouve ça drôle. En vieillissant, on change, on prend de la maturité, mais certains gardent les mêmes habitudes. J'ai connu des joueurs qui avaient des valeurs familiales très profondes et d'autres qui n'ont jamais cessé de courir les jupons. Guy Lafleur en parle dans son livre: les filles, l'argent. Ça m'avait frappé quand je l'avais lu.

À Houston, j'ai aussi découvert la place de la religion dans le sport. Peu après mon arrivée chez les Aeros, un de mes nouveaux coéquipiers, Steve Jaques, un *tough* comme moi, m'avait abordé dans le vestiaire en me demandant si je croyais en Dieu. Jusqu'à l'âge de 20 ans, la religion, ce n'était pas la grosse affaire pour moi. Je faisais ma prière comme tout le monde, mais surtout en privé. Steve m'a parlé d'un petit groupe de joueurs qui se réunissaient avant chaque match pour prier. J'ai décidé d'essayer.

Pat Combs était celui qui dirigeait notre groupe de prière. Combs avait été lanceur dans le baseball majeur et vivait maintenant à Houston. Il demandait à Dieu de nous donner la force de disputer notre match et de protéger les joueurs contre les blessures graves. On était quatre ou cinq gars de l'équipe à y aller. Surtout des durs à cuire. Les autres, dans le vestiaire, regardaient ça de haut. Pour eux, ce n'était pas très bien vu d'aller prier avant les matchs. Combs disait à Dieu qu'on n'avait pas un travail facile à accomplir sur la glace, mais qu'on le faisait pour les bonnes raisons, afin de subvenir aux besoins de nos familles. Il me disait qu'on pouvait être de bons exemples pour la société même si on gagnait notre vie en nous battant. Il nous citait les exemples de George Foreman et Evander Holyfield. J'accompagnais le groupe de prière assez souvent avant les matchs, peut-être une fois sur deux.

Pat Combs et Steve Jaques étaient des *Born Again Christians*, des hommes très, très croyants. Steve essayait de nous convaincre de nous faire rebaptiser, mais je me suis contenté de prier avec eux. Les autres gars lui répondaient franchement que ça ne les intéressait pas. La prière est beaucoup plus répandue au baseball et au football parce que sont des sports typiquement américains, et je m'étais rendu compte, au fil de mes expériences, que la religion était bien plus imprégnée dans la culture américaine que dans la nôtre. Les gens que je côtoyais là-bas, au Texas, étaient très conservateurs, très vieux jeu. Le mariage avait une importance fondamentale et l'épouse devait porter le nom du mari. D'ailleurs, on a parfois eu des problèmes, Nancy et moi, au moment de passer les douanes américaines.

Même si je ne me suis pas fait rebaptiser, ça ne me gêne pas de dire que les prières et les attentions de Pat Combs ont transformé ma vie. Ça m'aidait de savoir qu'il y avait quelqu'un, en haut, qui veillait sur moi. Si j'avais été un gars timide, je n'aurais jamais participé à ces groupes de prière, parce qu'on se faisait regarder de travers quand on sortait de la pièce. Je pense que les gars étaient gênés de se faire associer aux *Born Again Christians*. Mais moi, ça me faisait du bien. La prière me permettait d'accepter mon rôle de bagarreur. Et puis, sentant la Ligue nationale plus que jamais à ma portée, j'avais enfin le goût d'aller jouer mes matchs. Je voyais la lumière au bout du tunnel, j'étais motivé par l'idée de gagner ma vie pour assurer le confort de ma petite famille.

J'arrivais à être serein avant les matchs, tandis qu'avant, je me conditionnais juste en cultivant la haine de mon adversaire. Je n'avais plus à être enragé et à perdre la tête pour bien accomplir mon travail de dur à cuire. Pat Combs m'a fait comprendre que j'étais sur terre pour une raison précise. Au début, je lui répondais que j'avais peine à y croire parce que mon travail consistait à faire mal aux autres, à leur laisser des cicatrices à vie dans le visage. Je me disais que ce n'était pas normal d'être payé à casser des gueules. Pat me répondait que j'avais un travail à faire, tout comme mes adversaires avaient le leur à accomplir.

Ça ne m'empêchait pas de faire des conneries à l'occasion. Lors d'un match à Las Vegas, un joueur de l'autre équipe était venu me narguer au banc des punitions. J'ai vu rouge et je lui ai sauté dessus. Les règlements ne pardonnent pas quand on quitte le banc pour aller se battre et j'ai été suspendu pour quelques matchs. L'entraîneur Dave Tippett était furieux. Je n'étais pas très fier de mon geste, moi non plus. J'avais manqué à mon propre code d'éthique. Un vrai *tough* ne doit pas rater de matchs, surtout pas à cause d'une suspension. Il doit pouvoir défendre ses coéquipiers contre tous les adversaires. C'est comme une job de bureau : si tu manques des parties, l'ouvrage s'accumule en attendant ton retour. Tu as bien plus de comptes à régler après une absence.

C'est pour cette raison que je jouais souvent blessé. J'avais régulièrement les jointures en compote et les doigts entaillés. J'ai déjà disputé une saison complète avec un cartilage de la main déchiré. Avant les matchs, je m'enveloppais la main avec un adhésif couleur peau pour que ça ne paraisse pas. C'était presque un plâtre. C'était dangereux pour mes opposants, mais je ne voulais pas rater de rencontre.

Le lendemain de l'annonce de ma suspension, j'ai reçu un appel du directeur général des Aeros, Gord Dineen. Il me demandait d'aller disputer un match à Austin dans la *Western Hockey League*, un circuit comparable à la *East Coast*. Il m'a dit : « On s'en va jouer à Winnipeg contre un club très *tough* et tu nous a laissés tomber à cause de ta suspension. Je veux que tu continues de jouer pour garder la forme. »

J'ai accepté et j'ai raccroché. Je n'avais pas le choix. Mais mon orgueil était touché. Je retournais dans une ligue comme la *East Coast*, après tout le travail que j'avais accompli ces dernières années. Je me disais que ces gars-là n'avaient rien à perdre, qu'ils tenteraient tous de se battre avec moi pour faire leurs preuves. J'ai pleuré un bon coup, je l'avoue, mais j'y suis allé. Le club m'a prêté une camionnette de location et j'ai fait le voyage avec l'un des préposés à l'équipement des Aeros.

Au bout de deux heures de route, je suis arrivé à Austin juste à temps pour l'échauffement. J'ai pris deux Ripped Fuel et j'ai commencé à jouer. À ma grande surprise, personne ne m'a invité au combat. J'ai donné quelques bonnes mises en échec et je me suis rendu compte que j'avais beaucoup d'espace sur la glace. Je faisais des beaux jeux et je marquais des buts. J'avais beaucoup de plaisir!

Comme j'étais toujours suspendu dans la Ligue internationale, j'ai téléphoné à Gord Dineen après le match pour lui demander la permission de disputer quelques rencontres supplémentaires là-bas. J'ai accumulé cinq points en autant de matchs. J'ai pu constater tout le progrès que j'avais réalisé ces dernières saisons. Je me sentais vraiment du calibre de la Ligue nationale. Je voyais les gars manger du «McDo» avant les matchs et je me disais que je ne voulais plus jamais me retrouver coincé à ce niveau-là. Ce fut une bonne leçon.

J'étais un homme différent quand je suis retourné à Houston. J'ai continué à faire mon petit boulot, trois ou quatre présences par période, une bonne bagarre quand c'était nécessaire. Mon temps d'utilisation sur la glace était plus limité à Houston qu'au Minnesota. L'entraîneur du Moose, Frank Serratore, était issu des rangs universitaires où il y avait rarement des bagarres et il n'avait jamais eu de dur à cuire sous ses ordres. Il ne savait pas quand m'envoyer sur la patinoire. Un bon *coach* t'envoie contre les durs à cuire de l'autre club après un coup vicieux subi par un de ses joueurs, ou encore pour changer le tempo du match. Mais avec Serratore, ce n'était pas le cas: j'avais carte blanche. Quand ça brassait, je le regardais et il m'envoyait sur la patinoire. C'est moi qui décidais quand y aller. Mes coéquipiers n'en revenaient pas. C'était flatteur pour moi, mais en même temps, je ne pouvais pas me cacher parce que toute l'équipe savait que c'était moi, au bout du compte, qui tenais les rênes.

La situation était différente à Houston. Dave Tippett connaissait mieux cet aspect de la *game*, il savait m'utiliser à ma juste valeur. Le métier de dur à cuire n'est pas facile, la marmite peut exploser à tout moment. Parfois, tu dois livrer un combat même si tu es complètement refroidi après toute une période sur le banc. Il faut savoir se battre, mais il faut aussi éviter de commettre des erreurs en défensive. Tu joues tellement rarement que la moindre gaffe de ta part prend des proportions catastrophiques.

J'ai encore subi quelques commotions cérébrales cette année-là. Chaque fois qu'un gars était sonné, le médecin de l'équipe lui posait des questions pour savoir s'il avait encore toute sa tête. Un soir, je m'étais fait frapper solidement par-derrière. Le médecin m'a demandé comment il s'appelait. J'étais très mal à l'aise parce que je n'avais jamais réussi à retenir son nom. Je lui ai finalement dit que je ne m'en souvenais plus. Puis il m'a demandé le nom de sa fille qui travaillait au club vidéo voisin de l'aréna. Je ne l'avais jamais retenu non plus — je n'ai vraiment pas la mémoire des noms — et je lui ai répondu que je l'ignorais. Je sentais un peu d'inquiétude dans son regard. Il m'a dit de prendre mon temps pour récupérer, qu'il allait bien s'occuper de moi. Je ne voyais pas comment je pouvais me sortir de cette situation sans avoir l'air fou. Finalement, je lui affirmé que je n'étais pas vraiment sonné, que j'ignorais réellement son nom et celui de sa fille même si je les côtoyais depuis plusieurs mois.

La même année, j'ai perdu mon grand-père Fortin, celui qui assistait à tous mes matchs à Shawinigan. Quelques jours avant sa mort, on a eu une bonne conversation au téléphone. Il se savait déjà condamné à cause du cancer. On a reparlé de ma promesse de jouer dans la Ligue nationale un jour, afin de pouvoir acheter une maison pour loger toute la famille. Mon grand-père Fortin avait pour idole Maurice Richard et était convaincu que je me retrouverais avec le Canadien. Je me rappelle ses dernières paroles avant de raccrocher : « Je sais que tu vas jouer pour le Canadien. Je vais parler aux anciens joueurs en haut pour toi… » Je lui ai demandé qu'il salue tout le monde au ciel, en particulier mon frère Jason.

Je lui ai dit que je ne pourrais pas assister à ses funérailles parce que je ne pouvais pas quitter l'équipe et que les billets d'avion pour emmener ma petite famille coûtaient trop cher. Il m'a répondu que ma carrière comptait plus que tout et qu'il serait mort, de toute façon. Mon grand-père allait devenir encore plus présent dans mon esprit après sa mort. Avant chacun de mes matchs, je passais une trentaine de minutes dans la douche à demander à mes proches décédés de me donner la force de disputer mes parties. Avec leur aide, je sentais que rien de mal ne pouvait m'arriver.

Les Aeros de Houston ont connu une bonne saison en 1996-97, avec une fiche de 44 victoires contre seulement 30 défaites et une participation à la demi-finale des séries. Pour ma part, j'ai marqué deux buts et obtenu une aide en 59 matchs, avec 214 minutes de punition.

Je suis rentré au Québec heureux. D'autant plus que l'argent gagné ces dernières années m'a permis d'acheter notre première maison à Saint-Louis-de-France, dans la région de Trois-Rivières. Je gagnais 40 000 $US par saison, mais je me sentais très riche. La maison, c'était une grosse affaire pour moi. Ça signifiait que j'arrivais à gagner ma vie convenablement avec le hockey. On avait une piscine, une jeep Grand Cherokee. J'étais bien fier de ma voiture. Elle n'était pas neuve, mais presque. J'étais vraiment devenu un *big shot*. De toute façon, quand tu rentres au Québec après avoir passé une saison à jouer au hockey professionnel, tout le monde s'imagine que tu es *big*, même si ce n'est pas toujours le cas.

J'ai fait un autre gros été d'entraînement. Il n'était pas question pour moi de jouer au golf comme la plupart de mes collègues. Je levais des poids au gymnase le matin et j'allais patiner l'après-midi. Je ne prenais jamais de congé. J'étais toujours aussi déterminé à me tailler une place dans la LNH et je voulais me donner une longueur d'avance sur les autres.

J'ai suivi mon cycle habituel de stéroïdes tout en étant davantage conscient des conséquences. J'avais eu le temps, au fil des années, de mieux m'informer à ce sujet. Je commençais enfin à comprendre le rapport entre les produits que je consommais et les effets secondaires comme les changements d'humeur, les crampes et les maux de tête que je ressentais continuellement. Mais je ne trouvais pas ça assez inquiétant pour arrêter d'en consommer. Je me disais que j'en prenais seulement une partie de l'année et que ceux qui étaient vraiment à risque, c'étaient les culturistes qui en utilisaient régulièrement. J'étais prêt à tout pour réaliser mon vieux rêve d'accéder à la LNH. Je m'entraînais comme un fou toute la journée et souvent, le soir, Stéphane Morin venait me rejoindre pour souper après sa partie de golf quotidienne. On parlait de mes espoirs et il m'encourageait. J'avais 25 ans, je pensais à mon avenir et j'avais de la difficulté à l'envisager sans un passage chez les vrais «pros».

Ça n'a pas été facile de repartir pour Houston à la fin de l'été 1997. On avait notre nouvelle maison, la famille et les proches autour de nous, et on devait s'exiler de nouveau à l'autre bout des États-Unis, dans un monde qui ne nous ressemblait pas. J'adorais mon métier, mais je me rendais compte que ce n'était pas une vie normale pour ma petite famille. Alors j'ai pris l'avion seul. Nancy, qui devait venir me rejoindre une semaine plus tard, m'a dit de choisir n'importe quel appartement.

J'ai trouvé un logement et j'ai installé les meubles. Je le trouvais agréable, mais quand Nancy l'a vu, elle a éclaté en sanglots. J'en ai trouvé un autre et on a déménagé encore une fois, avec l'aide de quelques gars de l'équipe. Ça ne me dérangeait pas de tout recommencer parce que le plus important, pour moi, c'était de rendre ma femme heureuse. Elle faisait de gros sacrifices pour me suivre et c'est elle qui restait à l'appartement le plus longtemps pour s'occuper de notre petit Jeremy. L'organisation des Aeros était bien correcte, par contre : elle lui a payé un abonnement dans un centre de conditionnement physique.

Le camp d'entraînement a été difficile parce que j'avais très mal aux genoux. Mais je ne voulais pas m'arrêter et la douleur s'aggravait de semaine en semaine. Ça a rendu ma saison très pénible. L'équipe gagnait régulièrement, mais j'avais souvent des périodes de déprime. Je ne jouais presque pas et je me demandais si mes genoux allaient tenir le coup pour me permettre d'atteindre mon objectif. C'était dur pour Nancy, également. Elle se sentait vraiment isolée et subissait mes sautes d'humeur. Pour une raison que j'ignore, j'avais perdu en quelques mois tout espoir de « faire » la Ligue nationale. Puis, au beau milieu de l'hiver, j'ai fait une rencontre étrange, tout à fait inattendue, qui allait changer radicalement ma façon de voir les choses.

On était à bord d'un vol commercial à destination de Phœnix pour y disputer un match le lendemain soir. Je vivais un moment de profonde déprime. J'avais 26 ans et je me disais que je ne pourrais jamais jouer jusqu'à 30 ans à cause de mes genoux. La question de mon « après-carrière » me hantait constamment. Je voyais tout en noir. Si je n'arrivais pas à jouer dans la Ligue nationale, personne ne me reconnaîtrait après ma retraite et je ne pourrais pas ouvrir mon restaurant en profitant de ma célébrité, comme Rod Langway l'avait fait. J'étais populaire auprès des amateurs de hockey à Houston, mais au Québec j'étais un *nobody*. Qu'est-ce que j'aurais pu faire après le hockey ? Retourner à l'école ? Mes perspectives d'avenir ne m'apparaissaient pas très bonnes.

J'étais dans l'avion à réfléchir à tout ça quand j'ai remarqué que mon voisin de gauche m'observait. Il faut savoir que les joueurs de l'équipe sont mêlés aux voyageurs réguliers durant nos vols. L'homme qui semble vouloir engager une conversation avec moi est âgé d'une quarantaine d'années, il a un *look* un peu négligé — vieux jeans, tee-shirt — et il a le teint très basané, probablement un Pakistanais ou un Indien.

Je vois qu'il a envie de me parler et en temps normal, je suis très sociable, mais je n'ai envie de parler à personne ce jour-là. Je sens le poids de l'univers peser sur mes épaules. Quelques minutes après le décollage, il se penche vers moi et lance :

« Ça n'a pas l'air d'aller.

— Mais non, ça va, dis-je sans me tourner vers lui.

— Ça ne va pas bien, je le vois. Qu'est-ce que tu fais dans la vie ? »

Il me regarde droit dans les yeux et cette façon directe qu'il a de s'adresser à moi vient me chercher. Je lui réponds que je joue au hockey et il réplique que mon métier ne semble pas me rendre heureux. Il m'explique ce qu'il fait dans la vie. Il me dit avoir gagné des millions et des millions de dollars en affaires, et qu'il est important d'aimer le métier qu'on pratique, sans jamais cesser de se fixer des objectifs et d'y croire. Moi qui n'ai pas le goût de jaser, je me mets tranquillement à confier mes états d'âme à un pur étranger.

Il me demande si je suis prêt à changer ma façon de voir la vie dès ce soir. Il me dit de prendre un crayon et du papier à mon arrivée à l'hôtel, et d'écrire mes buts dans la vie. Il me suggère d'écrire comment je souhaite être perçu par les gens qui m'entourent et aussi de me visualiser dans un uniforme de la Ligue nationale. Son message : « Si ton cerveau le croit, tu vas y croire ! »

Il me dit aussi de chasser toutes les idées négatives de ma tête et d'éloigner de mon entourage les gens qui auraient tendance à m'envoyer de mauvaises ondes, surtout les jaloux qui ne me veulent pas de bien. Il me recommande enfin d'écrire les moyens à utiliser pour atteindre mes objectifs et de me répéter souvent que je suis le meilleur dans ce que je fais.

Je sais que ça peut sembler bizarre, mais j'étais tellement désemparé à ce moment-là que je voulais bien essayer de croire en ses méthodes. Quelqu'un s'intéressait à ma vie et il m'apparaissait comme une bouée de sauvetage. Je fermais les yeux et je me voyais à la ligne bleue, pendant l'hymne national, portant l'uniforme du Canadien de Montréal…

Avant qu'on se sépare au terme de ce vol de deux heures, je l'ai invité à assister à notre match du lendemain soir. Il m'a donné sa carte d'affaires et je lui ai dit que je laisserais deux billets pour lui à la consigne. Il m'a quitté en me disant qu'il était sûr que j'allais réaliser mon rêve de jouer pour le Canadien.

En arrivant dans ma chambre, je me suis précipité sur le bloc-notes fourni par l'hôtel et j'ai commencé à écrire. Je griffonnais tout ce qui me passait par la tête : je suis le plus *tough* des *toughs*, je suis le plus craint, j'ai le meilleur coup de patin, je suis le plus fort, je vois tout sur la glace, j'ai la tête haute, l'équipe a besoin de moi parce que je suis indispensable… Ces mots résonnaient dans ma tête. Puis j'ai écrit que tout le monde voulait se rapprocher de moi parce que j'étais un fonceur, un gagnant. Cette image de moi à la ligne bleue dans l'uniforme du Canadien ne me quittait pas.

L'histoire peut paraître invraisemblable, mais quand je me suis réveillé le lendemain matin, j'étais un homme transformé. Je suis arrivé à l'aréna le cœur léger, plus motivé que jamais. En me pointant à la consigne pour laisser les billets, je me suis rendu compte que j'avais oublié à l'hôtel la carte d'affaires de mon voisin de l'avion et que je ne me souvenais plus de son nom.

Je me sentais mal à l'aise de le laisser tomber après son super discours de motivation de la veille, mais je ne voyais pas ce que je pouvais faire pour lui permettre de récupérer ses billets. Je n'avais pas le temps de retourner à l'hôtel pour aller chercher sa carte. J'ai été obligé d'en faire mon deuil.

En revanche, j'avoue que je me sentais en pleine forme quand j'ai commencé mon match. Je multipliais les mises en échec et je donnais un coup de main à l'équipe dans les offensives. J'ai même réussi à marquer un des rares buts de ma carrière professionnelle. J'étais vraiment survolté. Vers la fin du match, j'ai tourné les yeux vers les estrades et j'ai remarqué un homme au teint basané, en complet-cravate, qui m'envoyait la main. C'était lui ! Je n'en revenais pas. Je me sentais comme dans un drôle de rêve. J'espérais pouvoir lui serrer la main après le match et m'excuser pour les billets, mais il avait quitté l'aréna dès la fin de la rencontre.

Ses conseils me suivront le reste de mes jours et je ne me débarrasserai jamais des quelques pages de notes griffonnées à mon arrivée à l'hôtel de Phœnix. J'allais d'ailleurs servir un discours semblable à Francis Bouillon et à Stéphane Robidas, quelques années plus tard, quand ils broyaient du noir dans les mineures. Je me rappelle avoir accosté Francis un soir, dans un bar de Fredericton, et lui avoir répété mot pour mot ce que ce mystérieux interlocuteur m'avait dit dans l'avion. Cet homme est passé en coup de vent dans ma vie, mais il m'a permis de réaliser que j'étais le maître de mon propre destin.

À compter de ce jour, j'ai commencé à prendre ma carrière encore plus au sérieux. Tout paraissait tellement plus clair dans ma tête, mes objectifs, mon plan de carrière étaient mieux définis. J'étais beaucoup plus positif. Ma façon de travailler a également changé. Avant, je quittais toujours les entraînements le dernier pour me donner une belle image, pour convaincre le *coach* que j'étais vraiment déterminé à progresser. Mais je poursuivais la pratique en lançant des rondelles sans trop de conviction dans un filet désert. Dorénavant, je faisais du temps supplémentaire en y mettant vraiment du cœur. J'avais les cartilages des deux pouces déchirés, mes genoux me faisaient souffrir, mais je m'en foutais. Je me sentais au-dessus de tout ça.

Vers la fin de la saison, mon agent m'a informé que le recruteur du Canadien, Pierre Mondou, était venu me voir à l'œuvre à Houston et qu'il avait été très impressionné par ma façon de me comporter sur la glace. Je ne savais pas si je devais y croire parce qu'il m'avait déjà fait miroiter tellement de belles choses qui ne s'étaient jamais concrétisées. Mais je ne pouvais m'empêcher de voir un lien entre la rencontre avec mon mystérieux type dans l'avion et cet intérêt présumé du Canadien.

J'ai réussi à disputer la saison 1997-98 en évitant les hôpitaux. J'ai terminé l'année avec une fiche de quatre buts et autant d'aides en 67 matchs, mon plus haut total dans la Ligue internationale. Mais on n'a pas été loin en séries et peu après notre élimination, je me suis fait réparer les deux genoux et la main par un médecin de Houston, le Dr Matsus, avec qui j'avais développé une relation d'amitié au fil de la saison. J'ai passé plusieurs jours chez des amis, en chaise roulante, avant de rentrer au Québec pour rejoindre Nancy et Jeremy qui m'avaient précédé.

Chapitre 7

LE CANADIEN À MA PORTÉE

Quelques semaines après la fin de la saison, alors que je commençais ma réadaptation, j'ai reçu un appel de Michel Therrien, l'entraîneur des Canadiens de Fredericton. Il m'a dit qu'il avait entendu parler de moi et qu'il était intéressé par mes services. Il me demandait si j'étais du type à faire peur à mes opposants, si j'inspirais de la crainte à mes adversaires. Je lui ai répondu: «Écoute, Michel, je joue au hockey professionnel depuis presque huit ans, personne me fait peur, je sais à quel moment faire ma job dans un match.» On a jasé une dizaine de minutes. Ce n'était pas le grand club mais ça m'ouvrait une porte chez le Canadien.

Un peu plus tard, j'ai reçu une offre de contrat du club. La direction du Canadien me proposait 325 000 $ par an pour jouer à Montréal, et 60 000 $ dans l'éventualité où je serais rétrogradé au club-école de Fredericton. Je savais cependant qu'ils voulaient m'embaucher d'abord pour Fredericton, puisque c'est Michel Therrien qui s'intéressait à moi. La décision n'a pas été facile à prendre. Je voulais me joindre à l'organisation du Canadien, mais j'aurais touché un meilleur salaire à Houston qu'à Fredericton, car les Aeros m'offraient 60 000 $US. Il y avait beaucoup d'avantages à demeurer à Houston. On avait commencé à se faire des amis là-bas, les hivers étaient chauds et j'avais l'impression de pouvoir jouer encore plusieurs années avec eux. Ça ne me tentait vraiment pas de me retrouver à Fredericton, une ville qui n'avait pas très bonne réputation auprès des joueurs. Nancy n'était pas chaude à l'idée de se retrouver là-bas, elle non plus. Elle était convaincue qu'ils allaient m'y envoyer. Ça a été le plus gros pari de ma vie. J'ai dit à Nancy : « Je vais faire le club ! C'est la chance de ma vie ! Je ne peux pas laisser passer une occasion comme celle-là, je vais le regretter le restant de mes jours. » Elle m'a répondu : « Si tu es pour me remettre ça sur le dos tout le temps, vas-y, mais fais le club ! »

Gros été d'entraînement : en plus de mes exercices au gymnase et sur la glace, je faisais de la boxe. Je pratiquais une nouvelle combine sur le sac de sable : je décochais trois droites, puis je sortais un crochet de la gauche. Je savais qu'il me fallait frapper de la gauche pour connaître du succès dans la LNH. Je pratiquais ma gauche depuis des années. Quand j'étais dans le junior, un de mes copains, Jacques Mailhot, me faisait travailler d'une façon particulière. On s'affrontait avec des gants de boxe et il m'attachait la main droite dans le dos pour que j'utilise seulement ma gauche, tandis que lui avait le droit de se servir de ses deux mains. C'était difficile, mais profitable à long terme.

Je surveillais aussi mon alimentation. En plus de mon cycle de huit semaines de Winstrol V, je prenais des pilules du genre des Ripped Fuel pour me couper l'appétit, parce que j'en avais assez de me faire vomir tout le temps. J'ai l'air d'un beau *junkie*, mais c'est une routine presque normale pour un gars qui s'entraîne régulièrement dans des gymnases où tous ces trucs-là sont disponibles. Prendre une ou deux pilules, c'était banal pour moi. Je n'avais pas le choix, de toute façon, parce que mes entraînements étaient tellement durs que j'aurais manqué d'énergie pour faire tout ce que je voulais faire. Je me préparais aussi des *shakes* de protéines le matin pour mes séances au gymnase. Ça me bourrait au point que ça m'évitait d'avoir à dîner, car j'étais incapable de manger après mes entraînements ; je vomissais tout ce que j'avalais après avoir fourni un gros effort physique. Je prenais une *Power Bar*, puis j'allais à mes leçons de boxe l'après-midi. En fin de journée, je me faisais une petite salade au poulet et j'allais jouer au hockey.

Dans le courant de l'été, j'ai reçu un appel du responsable des communications du Canadien, Donald Beauchamp.

Il m'invitait à participer à un match de balle-molle de l'équipe dans le cadre d'une tournée promotionnelle qui passait par Trois-Rivières. J'étais pas mal excité. On avait rendez-vous au restaurant *La Cage aux sports* avant la rencontre. Je n'avais pas eu la chance de voir l'équipe à l'œuvre à la télévision depuis plusieurs années parce que je passais mes hivers aux États-Unis, et mes matchs coïncidaient souvent avec ceux du Canadien. Je savais que Patrice Brisebois et Shayne Corson jouaient à Montréal, et je connaissais seulement trois ou quatre joueurs personnellement, dont Francis Bouillon et le gardien Jocelyn Thibault.

À peine entré dans le restaurant, j'ai croisé Guy Lafleur. J'en ai eu les jambes molles. Lafleur, c'était le bon Dieu pour moi. Et j'allais jouer à la balle molle en sa compagnie, dans un uniforme du Canadien. Je croyais rêver. Je suis allé rejoindre Francis qui était seul sur une banquette. Lafleur était assis à la grande table avec les vétérans de l'équipe, Shayne Corson, Scott Thornton, Stéphane Quintal et Patrice Brisebois. L'ancien ailier gauche du Canadien, Yvon Lambert, était là aussi.

J'étais très impressionné par Corson. C'était un *tough*, lui aussi, et j'avais suivi ses exploits avec le Canadien, à la télévision, quand je jouais dans les rangs junior à Shawinigan. Corson est venu s'asseoir avec moi après la partie de balle molle et il s'est montré très sympathique. Il m'a dit qu'il m'avait remarqué quand j'étais arrivé parce qu'il voyait que j'étais en grande *shape*.

On m'a demandé de m'installer à une table pour la séance d'autographes. Comme je n'avais pas encore de photo officielle, on m'a remis la fameuse carte du Centre Molson qu'on remet aux nouveaux joueurs dans ces occasions. Je me suis retrouvé entre Guy Lafleur et Shayne Corson. Il y avait plein de fans avec des fanions du Canadien. J'avais envie de me pincer pour être bien sûr que je ne rêvais pas.

C'était un *feeling* bien spécial de signer des autographes en compagnie de ces gars-là. Même si je devais être renvoyé dans les mineures à Fredericton le lendemain matin, cette journée incroyable me confirmait que j'avais pris la bonne décision en tournant le dos à l'offre des Aeros de Houston. Dans ma tête, je venais de gagner à la loterie.

J'ai remarqué à quel point Guy Lafleur s'appliquait quand il signait des autographes. Pourtant, il avait passé tout l'après-midi à en distribuer, ce qui l'avait empêché de jouer à la balle autant que les autres. Guy a été super gentil avec moi. Il m'a dit qu'il me connaissait comme joueur — sans doute pour me faire plaisir — et m'a souhaité bonne chance pour l'année à venir. J'étais si intimidé que je ne lui ai presque pas parlé. Son livre m'avait tellement marqué. C'était gênant de me retrouver à côté de lui. Je ne savais pas quoi lui dire. Il a une force d'attraction incroyable et plein de monde s'agglutinait autour de lui. Une vraie star, mais accessible et sympathique.

Un peu avant mon départ, Jocelyn Thibault m'a dit que plusieurs joueurs québécois de la Ligue nationale s'entraînaient à Rosemère en prévision de la saison et que je n'avais qu'à lui téléphoner si j'étais intéressé à me joindre à eux. Au moment de quitter le restaurant, un membre de l'organisation est venu me remettre 400 $ pour ma participation à l'événement. Je n'en revenais pas. J'avais l'impression d'entrer dans un autre univers…

Je n'allais pas rater l'occasion de m'entraîner avec des professionnels de la Ligue nationale et j'ai rapidement appelé Jocelyn Thibault. À mon premier entraînement, Gino Odjick et quelques autres sont venus me parler. Ils semblaient avoir du respect pour moi, même si j'étais encore un gars des mineures. Gino était un de mes rivaux dans les rangs junior, mais sa carrière avait beaucoup mieux marché que la mienne. Il venait de passer les sept dernières saisons avec les Canucks de Vancouver et il était devenu l'un des bagarreurs les plus réputés de la LNH. Gino m'a surtout donné des trucs pour bâtir ma confiance. Il m'a dit, entre autres : « Pense pas que les gars sont plus *toughs* dans la Ligue nationale que dans les mineures, c'est pareil. »

Enrico Ciccone, le coéquipier de ma première année junior à Shawinigan, s'entraînait à Rosemère lui aussi, de sorte que je me sentais un peu plus à ma place. Ça m'a également permis de côtoyer pendant quelques semaines mes futurs camarades du Canadien, ce qui allait contribuer à me mettre l'aise quand j'arriverais au camp d'entraînement.

J'avais l'impression, comme je l'ai mentionné plus tôt, d'entrer dans un autre monde. Vincent Damphousse arrivait en BMW, Patrice Brisebois avait deux ou trois autos, dont une Ferrari. Les gars parlaient de la situation contractuelle des Saku Koivu, Martin Rucinsky, Brian Savage, Vladimir Malakhov et Shayne Corson qui n'avaient toujours pas signé leurs contrats avec l'équipe. Ça parlait beaucoup d'argent, mais les gars étaient tous accessibles. Malgré leur fortune personnelle, aucun ne semblait avoir la tête enflée.

Les stéroïdes, évidemment, restaient un sujet tabou et personne ne m'a posé de questions ni fait de remarques malgré ma carrure imposante, évidemment «pompée». De toute façon, si un gars me l'avait demandé, j'aurais répondu en riant que j'étais déjà assez costaud et que je n'avais pas besoin d'en prendre. C'est comme ça que ça se passe dans le milieu. Je n'ai donc pas abordé le sujet, moi non plus, même si j'en ai identifié quelques-uns qui avaient sans doute pris des stéroïdes au moins une fois dans leur vie. Ce n'était pas vraiment difficile à déceler pour quelqu'un qui en consommait lui-même.

Je ne veux pas ici lancer une chasse aux sorcières ni nommer des joueurs fautifs. C'étaient des gars comme moi qui rêvaient de jouer dans la Ligue nationale depuis leur enfance et qui prenaient tous les moyens possibles pour y parvenir, y compris s'entraîner jusqu'à l'épuisement, souffrir des effets secondaires de la drogue et se faire vomir pour ne pas trop engraisser. Il y a quelques rares joueurs qui n'ont pas peur de se confier. J'ai déjà connu un ancien *tough* de la Ligue nationale, bien connu au Québec, qui consommait des stéroïdes à l'année. Il avait une chaîne en or autour du cou et disait qu'il arrêtait d'en prendre quand sa chaîne devenait trop serrée…

De toute façon, les stéroïdes n'étaient pas interdits dans la Ligue nationale. Et ils ne le sont toujours pas. C'est un outil comme un autre. Si le gars est assez brave pour en prendre, ou assez «cave», devrais-je dire, tant pis pour lui. Il n'y a aucun contrôle antidopage dans la LNH, alors libre à ceux qui le veulent d'en utiliser, puisque le système le permet. Et à mes yeux, la consommation de Ripped Fuel, bien plus répandue dans le hockey, n'est pas nécessairement moins dommageable pour la santé puisqu'il s'agit d'éphédrine et de caféine pures.

Les entraînements à Rosemère m'ont donné un petit avant-goût de ce qui m'attendait avec le Canadien. Déjà, quelques stations radio de Rimouski et de Baie-Comeau commençaient à me téléphoner pour des interviews. Je crois qu'on ne se rend pas vraiment compte à quel point c'est gros, jouer pour le Canadien, tant qu'on n'a pas signé de contrat avec le club.

Même s'il s'agissait seulement de petits matchs amicaux, il y avait beaucoup de va-et-vient à Rosemère. Il y avait des journalistes sur place et des dizaines d'amateurs dans les estrades; des représentants de compagnies d'équipement nous attendaient dans le vestiaire après nos pratiques. En plus, les préposés à l'équipement du Canadien passaient prendre nos chandails pour les laver! J'étais impressionné de me retrouver à côté de Vincent Damphousse. J'en entendais parler depuis des années et j'avais vu son annonce pour le shampoing Head & Shoulders à la télé. Il était toujours calme et c'est lui qui dirigeait les pratiques avec Stéphane Quintal.

À part les genoux qui me faisaient toujours mal, j'étais dans une forme physique exceptionnelle. Je pesais environ 225 livres et je n'avais pas une once de gras sur le corps. J'avais hâte de passer les tests de conditionnement physique de l'équipe. Ces examens avaient beaucoup d'importance à mes yeux. Les joueurs étaient tous notés selon les exercices. Je devrais surpasser les autres *toughs* présents au camp. Je me rappelle d'ailleurs avoir battu tous les records au *bench press.*

Un beau matin à Rosemère, quelques semaines avant l'ouverture du camp, Benoît Brunet m'a annoncé qu'un équipement neuf m'attendait au Centre Molson. J'ai téléphoné au responsable de l'équipement, Pierre Gervais, qui m'a dit qu'il me retrouverait au vestiaire de l'équipe.

Je suis entré dans le parking souterrain du Centre Molson et déjà, ça m'impressionnait. J'ai remarqué les places de stationnement de Ronald Corey et Réjean Houle, dont les noms étaient affichés sur des panneaux. Comme le gardien de sécurité ne me connaissait pas, il a appelé Pierre Gervais pour qu'il vienne me chercher. Pierre était super correct, il m'a confié qu'il venait de Trois-Rivières, lui aussi. J'ai ressenti une émotion très forte en approchant du fameux vestiaire. On n'allait pas entrer par la porte des journalistes et autres rares visiteurs, mais par la petite porte réservée aux joueurs.

Pierre a composé le code pour ouvrir la porte et m'a dit qu'un jour, j'allais peut-être l'avoir, ce fameux code. Connaître le code signifiait qu'on était devenu un joueur régulier et qu'on pouvait désormais avoir accès au vestiaire et au gymnase à sa guise. Quand tu as le code de la porte du Canadien de Montréal, tu es rendu pas mal *king*. C'est du moins ce que je me plaisais à me répéter.

Le vestiaire et les salles attenantes étaient majestueux à mes yeux, le grand luxe. On marchait sur un moelleux tapis bleu orné de motifs aux couleurs du Canadien. Tous les chandails étaient déjà soigneusement placés devant les cases de chaque joueur. Quand on lève les yeux, on ne peut pas rater, sur les murs, les photos de toutes ces anciennes gloires de l'équipe intronisées au Temple de la renommée du hockey, ni cette célèbre phrase écrite à l'entrée du vestiaire : « Nos bras meurtris vous tendent le flambeau, à vous de le porter bien haut. » J'entendais bien faire honneur à cette devise si on m'en donnait la chance.

Pierre m'a tout fait visiter, ce jour-là : la cuisine mise à la disposition des joueurs, à deux pas du vestiaire, avec son immense table de douze places, son écran de télé géant et ses deux frigos remplis de pots de yogourt et de bouteilles de Gatorade ; les salles de bains spacieuses avec douches, bain tourbillon, sauna et même un bain d'eau glacée ; le gymnase, hallucinant avec tous ses équipements incroyables. Je croyais qu'on avait un beau gym à Houston, mais ce n'était rien comparativement à celui du Centre Molson.

Pierre Gervais m'a aussi présenté à ses collègues. Bobby Boulanger était, comme Pierre, chargé de réparer l'équipement et d'aiguiser les patins. Pierre « *Steamer* » Ouellet s'occupait de l'entretien des chandails et de la propreté du vestiaire. J'ai ensuite jasé un peu avec le soigneur Gaétan Lefebvre. Je trouvais qu'il y avait beaucoup de monde pour traiter les joueurs aux petits soins. Je n'avais jamais rien vu de pareil.

Je ne portais plus à terre quand je suis reparti du Centre Molson avec mes gants de hockey neufs, mes culottes, mon casque et ma provision de ruban adhésif. Les culottes étaient un peu trop serrées, mais j'étais trop gêné de rappeler Pierre pour lui dire qu'elles n'étaient pas de la bonne taille. J'étais fier comme un paon de m'entraîner avec mon nouvel équipement du Canadien à Rosemère. Je me rappelais qu'il m'arrivait d'agacer Pierre Sévigny l'été, à Trois-Rivières, parce qu'il portait toujours ses shorts et ses bas bleu, blanc, rouge du

Canadien quand il s'entraînait. Je comprenais mieux maintenant toute la fierté qu'on ressent à avoir un équipement du Canadien sur le dos.

Quelques semaines avant de déménager à Montréal, on est allés à Québec, Nancy et moi, pour un souper bien arrosé chez Stéphane Morin et sa femme Karen, dont le garçon, Frédéric, avait un an et demi. C'était intime, seulement nous quatre avec nos deux petits gars qui jouaient ensemble. L'atmosphère était joyeuse, pleine d'espoirs et de promesses. Stéphane allait quitter l'Amérique du Nord pour se joindre à une équipe allemande et était emballé à l'idée de terminer sa carrière là-bas. Et moi, j'étais à l'entrée de la LNH. J'étais heureux de partager ce moment avec lui parce qu'il était devenu mon confident. Il était vraiment content pour moi et me répétait que j'avais ma place avec le Canadien, que j'étais l'un des gars les plus *toughs* avec qui il avait joué. Ça me faisait du bien d'avoir ce genre de renforcement positif. On a passé la soirée à jouer aux fers, au basket-ball et à la *tag* dans la piscine. Quand on se retrouvait, on s'amusait toujours comme des gamins.

Puis, la veille du grand jour, un ami est venu me reconduire à l'hôtel du centre-ville de Montréal où le Canadien nous avait réservé des chambres. Je me rappelle qu'il faisait beau et chaud ce soir-là. Ça peut paraître niaiseux, mais le simple fait de me retrouver à Montréal m'intimidait au plus haut point. Je trouvais que c'était une grande ville et qu'il y avait beaucoup trop de circulation. J'avais pris le métro une seule fois dans ma vie. En marchant sur le trottoir, je me demandais toujours si je n'allais pas me faire poignarder au prochain coin de rue. C'était une vraie jungle pour moi. Je me sentais bien loin de Baie-Comeau, ou même de Trois-Rivières. J'avais justement demandé à mon copain de me reconduire parce que je ne savais même pas comment me rendre au Novotel en arrivant de Trois-Rivières.

Devant l'hôtel, mon ami m'a aidé à sortir ma grosse poche de hockey et ma valise. J'avais prévu des vêtements pour quinze jours parce que le camp d'entraînement des Canadiens de Fredericton commençait deux semaines plus tard. J'ai demandé la clé de ma chambre et j'ai appris que j'aurais pour cochambreur Jimmy Drolet, un jeune défenseur de 22 ans qui venait de passer les deux dernières saisons à Fredericton, dans la Ligue américaine.

Avant de me coucher, j'ai pris bien soin de relire les notes que j'avais écrites dans la chambre d'hôtel de Phœnix quelques mois plus tôt. J'étais le plus fort, j'étais le plus craint, j'étais indispensable à l'équipe. J'avais toujours mes petites feuilles sur moi et je les relisais tous les soirs pour me motiver.

Je n'ai presque pas dormi cette nuit-là. On a déjeuné ensemble, Jimmy et moi, et il m'a parlé de Michel Therrien, son ancien *coach* à Fredericton. Il disait que c'était un entraîneur dur, pas très aimé des joueurs, mais que c'était un bon gars quand même. Je ne voulais pas écouter Jimmy quand il parlait de Fredericton. Je voulais me concentrer uniquement sur mes chances de rester à Montréal. Le club nous avait convoqués au Centre Molson le matin pour les tests de conditionnement physique et une séance de photos, puis des autobus devaient nous mener à Saint-Jovite où se dérouleraient les premières journées du camp d'entraînement.

L'arrivée à un nouveau camp est toujours impressionnante. Il y a tout un groupe de gars qui se connaissent et il faut tenter de s'intégrer à la bande. La différence, cette fois-ci, c'est que je connaissais déjà plusieurs joueurs. Il y avait de nombreux francophones et aussi des joueurs que j'avais affrontés à différents niveaux. J'avais tout de même huit ans de hockey professionnel dans le corps.

À la séance de photos au Centre Molson, j'ai remarqué un colosse, Brad Brown, premier choix du Canadien en 1994. Je le connaissais de réputation, un dur de dur, mais je ne me sentais pas en compétition avec lui parce qu'il était d'abord reconnu comme un défenseur robuste, et non à titre de dur à cuire de service, le poste que je convoitais tant. Sauf qu'il se battait avec tout le monde dans la Ligue américaine et je dois admettre qu'il avait l'air plutôt méchant en personne.

Celui que je considérais comme mon principal rival, Sylvain Blouin, m'était apparu très sympathique. Il était venu me parler en me disant qu'on avait plusieurs amis en commun. Il existe une certaine fraternité entre les hockeyeurs qui remplissent le rôle de dur à cuire.

On s'est fait photographier avec notre uniforme du Canadien sur le dos. Je voyais les portraits des joueurs réguliers affichés sur le mur — je pense que tous les aspirants à un poste examinent ces photos le jour de leur arrivée — et je me disais que je voulais y retrouver la mienne un jour.

J'ai été agréablement surpris de voir à quel point on nous traitait aux petits oignons et les moyens déployés pour nous faciliter la vie. Une armée d'employés était à notre service. Ils mettaient nos sacs d'équipement dans les camions à l'aide d'un monte-charge. Je me trouvais bien loin de la *East Coast* où tu répares toi-même tes pièces d'équipement endommagées. Dans la Ligue nationale, tu ne touches à rien. D'ailleurs, les *trainers* riaient de mon vieux matériel et m'ont promis de tout rapiécer. Je n'aurais jamais accepté qu'ils remplacent mes protège-coudes ou mes jambières par des neufs, parce que j'étais à l'aise avec ceux-là. Mon équipement était « cassé » à ma forme.

Le premier match simulé entre coéquipiers allait se dérouler deux jours plus tard à l'aréna de Saint-Jovite. Dans l'autobus, j'avais déjà mon plan en tête. Je me souvenais trop bien de l'erreur que j'avais commise durant mon premier camp d'entraînement avec les Capitals de Washington, huit ans plus tôt. J'étais jeune, je ne parlais pas beaucoup anglais, les durs à cuire de l'équipe avaient été gentils avec moi et je n'avais osé bousculer aucun de mes coéquipiers, de peur de leur déplaire. Pourtant, c'était à ceux-là même que je devais ravir le poste, contre eux que j'aurais dû me battre pour prouver à mes supérieurs que j'étais plus fort que leurs *toughs* en place. Les vétérans qui m'avaient amadoué le savaient trop bien, mais j'avais été trop naïf pour percer leur stratagème.

Il me fallait donc trouver un moyen de me battre avec Sylvain Blouin pendant les premières parties simulées. C'était un coéquipier, mais je n'avais pas le choix. J'avais la chance de ma vie de jouer dans la LNH. Et comme tout le monde me répétait que j'étais destiné à commencer la saison à Fredericton, il me fallait réaliser un coup d'éclat pour éviter d'être envoyé là-bas.

Blouin, lui, avait été acquis dans un échange avec les Rangers au cours de l'été. Pour l'avoir, le Canadien avait envoyé à New York Peter Popovic, un défenseur régulier de l'équipe. Par conséquent, il figurait certainement dans les plans du club pour cette saison, contrairement à moi, l'illustre inconnu. Un bon combat contre Blouin ne m'empêcherait pas nécessairement de fraterniser avec lui à l'extérieur de la patinoire. Ça se passe souvent ainsi dans le milieu, même après de furieux combats.

À notre arrivée à Saint-Jovite, les entraîneurs nous ont remis une liste indiquant les compagnons de chambre. J'espérais me retrouver avec Jimmy Drolet parce que je le connaissais et qu'on s'entendait bien tous les deux, mais à ma grande surprise, j'étais jumelé à Brad Brown. Probablement que les entraîneurs avaient voulu séparer les amis pour que chacun ait l'occasion de fraterniser avec ses nouveaux coéquipiers.

Le premier soir, je suis allé souper avec les jeunes Québécois de l'équipe : Francis Bouillon, Stéphane Robidas, Sylvain Blouin et José Théodore qui n'avait pas encore un poste assuré au sein du club. Je suis rentré vers neuf heures et Brad était déjà dans la chambre. On a jasé comme si on se connaissait depuis longtemps. On parlait des *toughs* contre lesquels on s'était battus dans les mineures. Je ne constituais sans doute pas une menace à ses yeux, puisqu'il a poussé les confidences un peu loin : il m'a affirmé que Réjean Houle lui avait promis le poste de dur à cuire pour la prochaine saison.

J'étais troublé. Non seulement Sylvain Blouin n'était plus mon principal rival, mais l'affaire semblait déjà réglée. Brown allait être déplacé de la défense à l'attaque pour remplir ce rôle. Il ne m'avait pas annoncé la nouvelle en baveux, rien de tout ça. Il se confiait à moi, tout simplement, sans savoir que je rêvais de ce poste depuis mon enfance.

Une autre nuit d'insomnie ! Je crois avoir somnolé vers quatre heures du matin. Je voyais mon rival dormir et je me demandais comment j'allais réussir à le provoquer au combat pendant l'entraînement. Il fallait être prudent en pareilles circonstances. Avoir un bon prétexte parce que les entraîneurs n'aiment pas voir des coéquipiers se battre entre eux. J'étais au moins soulagé de savoir qu'on nous avait placés dans des groupes différents. Je visualisais la scène où j'aurais à jeter les gants devant lui. C'était vraiment un drôle de *feeling* parce que le gars dormait à côté de moi pendant que je préparais mon plan !

Je n'ai pas déjeuné ce matin-là. Trop nerveux. Je me suis pris quatre ou cinq Ripped Fuel avant la pratique parce qu'il me fallait être réveillé au maximum pour ce premier entraînement de ma vie avec le Canadien. Mon existence en dépendait.

J'ai commencé à me sentir mal dès mes premiers coups de patin. Les genoux me faisaient terriblement souffrir et j'avais des nausées à cause des Ripped Fuel que j'avais avalés le ventre vide. Je vomissais de l'eau et du Gatorade, mais je continuais à patiner quand même. Rien n'aurait pu m'arrêter. On m'avait placé au sein d'un trio avec Scott Thornton. Ça me rassurait de constater qu'ils me faisaient jouer avec un régulier, ça me permettait d'espérer une place dans le club.

Après une heure d'exercices, on est retournés au vestiaire afin que les employés de l'aréna puissent passer la Zamboni sur la glace. Mon état ne s'améliorait pas pendant la pause. J'avais des crampes par tout le corps et je n'arrivais pas à plier mes bras, sans doute à cause des pilules qui m'avaient déshydraté. Il fallait que je me parle, que je me persuade que tout allait bien et que je n'avais pas mal. Pour mes genoux, j'ai demandé discrètement des anti-inflammatoires au soigneur, mais il ne fallait surtout pas que la direction de l'équipe soit au courant.

Quand je suis revenu sur la glace, j'ai reconnu un visage familier dans les estrades et ça m'a remonté le moral. Dave Tippett avait fait le voyage de Houston pour venir me voir. Il avait toujours dit qu'il allait m'aider à atteindre la LNH et il tenait à assister à ma première journée d'entraînement, même si j'avais décidé de ne pas retourner dans son club. Ça me faisait chaud au cœur.

Je me rappelle aussi avoir vu Gilles Lupien, qui représentait Sylvain Blouin, en grande conversation avec Réjean Houle dans un bureau vitré. Je me suis mis à regretter de ne pas l'avoir embauché lors du repêchage de la LHJMQ en 1988. De plus, je n'arrêtais pas d'entendre des commentaires négatifs au sujet de mon agent. Il ne semblait pas jouir d'une très grande crédibilité dans le milieu. Il était connu dans la Ligue internationale, mais quels contacts avait-il dans la LNH? Quelles étaient ses chances de se retrouver dans un bureau avec Réjean Houle pour le convaincre de me garder? Il valait mieux que j'arrête de compter sur son *pushing* et que je fasse la job sur la glace pour me faire remarquer.

Le match simulé a enfin commencé. Je jouais face à l'équipe de Brad Brown. Je me disais : «Il faut qu'il se produise quelque chose.» Malheureusement, il terminait toujours ses présences sur la glace quand je commençais les miennes. Puis le miracle s'est produit. On était sur la patinoire en même temps et il a administré une violente mise en échec à Thornton, au centre de la glace. J'avais trouvé mon prétexte!

J'ai patiné rapidement en direction de Brown et lui ai lancé: «*Let's go!*» Je n'aurais jamais fait ça dans le temps, à Washington, parce que le gars était mon compagnon de chambre, mais j'avais bien appris ma leçon. Brad ne semblait pas trop savoir comment réagir au début, mais je n'arrêtais pas de le pousser. Il a fini par jeter ses gants et j'ai utilisé ma fameuse combinaison que je pratiquais quelques semaines plus tôt. Je l'ai frappé de la droite avant de le surprendre avec mon crochet du poing gauche. Après quelques coups, il était allongé sur la glace, complètement sonné. Je ressentais un *thrill* incroyable. Non seulement j'avais bien fait ma job, mais j'avais choisi le bon moment pour le faire.

Je me suis retrouvé au banc des punitions et des vétérans sont venus me féliciter. J'avais marqué des points et je m'étais fait remarquer. J'ai parlé à Brad dans le vestiaire après la pratique et tout était correct, il m'a dit que j'avais fait du bon boulot. Scott Thornton est venu me voir. Il était l'un des plus redoutables bagarreurs de la LNH et il m'a dit en riant qu'il avait toujours cru, jusque-là, qu'il n'aurait jamais besoin de se faire défendre par un de ses coéquipiers un jour. Je venais de gagner son respect, à lui aussi.

Après le match intra-équipe, Donald Beauchamp est venu me prévenir que des journalistes voulaient m'interviewer. Il m'a dit, avec un sourire fendu jusqu'aux oreilles: «Reste relax, sois toi-même.» Je me suis dit: «Wow!» Je savais évidemment qu'ils voulaient me parler du combat. Comme nos vestiaires étaient minuscules, j'ai été les retrouver dans le corridor. Ils devaient être au moins une dizaine. Je n'en revenais pas, moi qui étais habitué à en voir au maximum un à la fois dans les autres ligues. Il s'agissait de mon premier contact direct avec les médias montréalais.

J'avais entendu parler d'histoires de gars qui se sont fait suspendre à la suite de certaines déclarations, mais je ne voulais pas commencer à servir aux journalistes les clichés habituels. Je tenais à leur livrer le fond de ma pensée, tout en ne me faisant pas piéger par des commentaires déplacés. Ils m'ont demandé ce qui s'était passé, je leur ai raconté le combat en précisant que Brad était mon compagnon de chambre et que c'était sans doute lui qui allait cuisiner le souper en soirée… Tout le monde a bien ri. L'entrevue a duré une dizaine de minutes et je serais bien resté avec eux plus longtemps. Je savourais mon moment de gloire.

Je suis retourné dans le vestiaire et la réalité m'a rattrapé. J'avais tout le corps endolori et les crampes avaient repris. J'étais complètement déshydraté et je ne pouvais pas bouger. Je me trouvais vraiment con d'avoir pris mes Ripped Fuel le ventre vide. Il y avait un massothérapeute sur place, mais il fallait respecter la hiérarchie. Les vétérans avaient la priorité. J'ai avoué au soigneur Gaétan Lefebvre que je souffrais énormément. Il m'a suggéré de prendre un bain glacé. J'ai écouté sa suggestion et j'ai plongé dedans. Pas évident! Je ne sentais plus mon corps. Puis Gaétan m'a offert de passer à la salle de massage. Il fallait du culot à une recrue pour demander un massage, mais ça s'est bien passé. J'ai été traité comme les autres.

Les soigneurs et les préposés à l'équipement étaient corrects avec tout le monde, mais il était normal qu'ils privilégient les joueurs d'expérience avec qui ils avaient développé une complicité au fil des saisons. Le masseur a fait passer Dave Manson et Vincent Damphousse puis, comme il n'y avait plus personne en attente, il m'a invité à m'allonger et s'est mis à me masser. Ça m'a fait beaucoup de bien.

J'ai quitté l'aréna en début d'après-midi avec une enveloppe d'argent pour mes repas. Ils nous donnaient 80 $ par jour pour manger. On avait le reste de la journée de congé, avec un couvre-feu à dix heures. Je suis allé au gymnase avec Francis Bouillon, Sylvain Blouin et Stéphane Dubé, l'entraîneur de conditionnement physique attitré du club. On n'avait pas vraiment besoin de couvre-feu parce qu'on était complètement brûlés en soirée. Après le souper avec des Québécois de l'équipe, je suis allé dans ma chambre. J'ai téléphoné à ma femme et j'ai revu le combat aux nouvelles télévisées. Brad Brown est arrivé un peu plus tard. On n'a pas reparlé de la bagarre, on a jasé comme si rien n'était arrivé.

Le lendemain matin, quand je suis descendu dans le hall de l'hôtel, Francis Bouillon m'a tendu les journaux de

Montréal. Il y avait des articles sur moi dans *La Presse* et dans le *Journal de Montréal*. Tu tentes de garder les pieds sur terre parce que les choses peuvent changer vite dans le monde du sport, mais c'est difficile de ne pas t'emballer. Je faisais semblant de rien devant les gars, mais je *tripais* vraiment intérieurement.

Bien des choses ont changé après ce combat. Avant, les entraîneurs ne venaient pas vraiment me parler, sauf pour me serrer la main. Ce matin-là, l'entraîneur adjoint Clément Jodoin a piqué une jasette avec moi sur la glace. Je lui ai dit tout de suite que je n'étais pas ici pour courir après tout le monde, que j'avais engagé le combat parce que Brown avait frappé mon partenaire de trio. Il m'a dit qu'il n'y avait pas de problème : « T'as fait ta job, c'est parfait. » L'entraîneur des gardiens, Roland Melanson, m'a félicité lui aussi. Alain Vigneault ne m'a rien dit — je le connaissais depuis que je l'avais affronté dans les rangs junior. Il avait été correct avec moi en venant me serrer la main à notre arrivée à Saint-Jovite, mais il ne parlait pas beaucoup. Il faisait ses petites affaires.

Je n'ai pas eu à me battre du reste du camp et tout a bien été. Les crampes disparaissaient graduellement et mes genoux, grâce aux anti-inflammatoires, me faisaient de moins en moins souffrir. J'ai continué à prendre mes Ripped Fuel, mais seulement avant les matchs simulés. Je n'en avais pas besoin pour les exercices. Certains coéquipiers, en revanche, en prenaient dès qu'ils avaient à sauter sur la glace. Comme au Minnesota et à Houston, les gars avaient leur bouteille et ne se cachaient pas pour en prendre. Ils n'en consommaient pas tous, mais je dirais qu'une bonne majorité y avait recours. C'était comme des bonbons.

Durant cette période de ma carrière, mes brûlures d'estomac étaient plus intenses que jamais. J'avais ce problème depuis mes débuts chez les professionnels. Je ne pense pas que c'étaient des ulcères dus à l'angoisse, je crois plutôt que c'est à cause des Ripped Fuel et autres pilules que j'avalais à jeun, alors qu'on nous disait toujours de les prendre en mangeant. Mes maux d'estomac m'empêchaient souvent de souper normalement le soir. J'ai encore ce problème aujourd'hui.

À notre retour à Montréal, la direction de l'équipe allait annoncer ses premières coupures de personnel. Habituellement, ce sont les jeunes d'âge junior qui écopent, de même que les joueurs invités qui ne font pas le travail. Je savais qu'ils me garderaient au moins jusqu'au début du camp d'entraînement à Fredericton. J'ai évité les coupures comme prévu et j'allais avoir le privilège de poursuivre le camp d'entraînement au Centre Molson. Les joueurs réguliers étaient installés dans le vestiaire du club, tandis que les recrues comme moi devaient revêtir leur uniforme dans un petit vestiaire à l'autre bout de l'amphithéâtre. Je m'étais juré que j'allais avoir ma place un jour dans le vrai vestiaire.

Le premier match préparatoire allait avoir lieu quelques jours plus tard au Centre Molson, contre les Flyers de Philadelphie. J'espérais de tout cœur pouvoir y participer ou, à tout le moins, disputer quelques rencontres d'ici la fin du camp. Le matin de la partie, je me suis précipité vers la feuille, affichée au mur du vestiaire, sur laquelle était inscrite la composition de la formation officielle. À ma grande déception, mon nom n'y figurait pas. J'avais tellement hâte de me retrouver à la ligne bleue pendant l'hymne national avec mon uniforme du Canadien sur le dos, comme je l'avais tant visualisé.

Quand on ne joue pas, on peut regarder tranquillement la partie à la télé dans le vestiaire ou aller sur la tribune de la presse. C'est ce que j'ai choisi parce que je n'avais jamais assisté en personne à un match au Centre Molson. J'ai été bien impressionné par ma visite. On pouvait croiser tous les gens des médias et la bouffe était gratuite. Ron Fournier de CKAC est le premier journaliste que j'ai croisé là. Je l'ai salué en l'appelant Lucien, car je croyais qu'il s'agissait de Lucien Deblois, un ancien du Canadien. Ron a éclaté de rire: «Moi, c'est Ron Fournier...» J'étais vraiment mal à l'aise. Nouveau dans le milieu, je ne voulais pas faire de gaffes. Je le connaissais de réputation — même qu'un de mes *chums* enregistrait ses émissions de ligne ouverte pour les écouter quand on allait ensemble à la pêche —, mais comme il faisait de la radio, je ne l'avais pas reconnu.

Chapitre 8

MON RÊVE SE RÉALISE ENFIN

Le lendemain de cette première partie hors-saison, je suis arrivé très tôt au Centre Molson pour m'entraîner. Un peu déçu parce que je n'avais pas participé au premier match à Montréal, mais encore confiant. Je me rends au gymnase pour faire des poids et haltères et là, entre deux levées, je vois Alain Vigneault entrer. L'entraîneur en chef du Canadien a l'habitude de courir sur le tapis roulant chaque matin. On est toujours un peu mal à l'aise lorsqu'on se retrouve seul avec le *coach*, surtout quand on est une recrue qui n'est pas sûre de « faire » le club. Je le salue, il me fait un signe de tête et saute sur l'appareil. Une fois son exercice terminé, il vient me voir et me dit : « *Moose*, es-tu prêt ? Tu joues contre les Devils demain… »

J'étais tellement heureux que j'en aurais sauté de joie, mais je ne voulais pas trop que ça paraisse. Je lui ai répondu en souriant : « *Coach*, je suis toujours prêt ! » J'ai attendu qu'il sorte avant de me précipiter sur le téléphone le plus proche pour prévenir Nancy. J'ai ensuite croisé Francis Bouillon. Lui aussi venait d'apprendre qu'il disputerait son premier match avec l'équipe. On était excités comme deux enfants. Petit hic toutefois : le match n'aura pas lieu à Montréal ni à l'amphithéâtre des Devils, à East Rutherford, mais plutôt à Albany, N.Y., dans un aréna de la Ligue américaine comme ça arrive souvent dans des rencontres préparatoires. Peu importe, j'allais enfin jouer avec le Canadien contre un club de la Ligue nationale. C'était la chance que j'avais attendue toute ma vie.

J'ai téléphoné à mes proches en arrivant à l'hôtel — mes parents, le « doc », etc. — pour leur annoncer la bonne nouvelle. À cause du décalage horaire avec l'Allemagne, je n'ai pu joindre Stéphane que le lendemain matin. Tout le monde était bien fier de moi et on croisait les doigts pour que ça aille plus loin.

J'étais plutôt fatigué à l'entraînement du lendemain parce que je n'avais presque pas dormi de la nuit, encore une fois. J'étais trop fébrile. Après la pratique, on a eu un dîner d'équipe au restaurant *Ovation* du Centre Molson. Le buffet était impressionnant pour quiconque venait de passer les huit dernières années dans les mineures : il y avait un choix de poulet, de saumon et de steak, avec toutes sortes d'accompagnements. Dans la Ligue internationale, c'était du poulet et des pâtes à la sauce Alfredo ou bolognaise. Je n'avais jamais eu de steak en plat principal dans un repas d'avant-match. C'était vraiment la grande classe !

J'étais en train de manger avec quelques gars, dont Jocelyn Thibault, tout en regardant les nouvelles du sport à RDS — dans le vestiaire ou pendant les repas d'équipe, les joueurs ne manquaient jamais les émissions sportives à la télé. À un moment donné, le commentateur a déploré le fait que le Canadien n'avait pas de gardien « Numéro un » digne de ce nom. Je revois encore le visage de Jocelyn changer complètement d'expression. C'était pourtant lui, le « Numéro un » ! C'est à ce moment-là que je me suis rendu compte de l'impact que les médias pouvaient avoir sur le moral des joueurs. Les analystes sportifs faisaient leur travail, mais ça pouvait être très dur pour l'athlète d'entendre des commentaires aussi cinglants à son endroit. J'ai trouvé ça vraiment spécial. Jocelyn a encaissé la critique tant bien que mal, mais personne n'a osé aborder le sujet avec lui.

On s'est ensuite rendus à l'aéroport où un avion nolisé nous attendait. À Dorval, la responsable des services à l'équipe, Michèle Lapointe, nous a remis nos billets d'avion et nos cartes des douanes américaines déjà remplies. On n'avait rien d'autre à faire que d'inscrire notre nom et remettre notre billet à l'agent de bord. Dans l'avion, d'énormes paniers de sandwichs, de fruits, de jus et de tablettes de chocolat étaient disposés sur des tablettes dans les premières rangées. Francis Bouillon et moi, on se regardait en souriant, on n'en croyait pas nos yeux.

Tout l'avion était réservé à la vingtaine de joueurs du club et aux entraîneurs ; on avait beaucoup de place dans l'appareil. On pouvait même prendre toute une rangée de bancs pour s'allonger. Mes centaines de repas *fast-food* et mes dodos sous les bancs d'autobus de l'époque de la *East Coast* me sont revenus à l'esprit comme un *flash-back*, un mauvais rêve laissé loin derrière… Tu goûtes à ça, tu ne veux plus jamais retourner dans les mineures. Je me suis assis avec Francis et on n'arrêtait pas de sourire, malgré notre nervosité à l'idée de disputer notre premier match dans la Ligue nationale.

Un autobus nous attendait sur la piste d'atterrissage de l'aéroport d'Albany. On s'est rendus directement à l'aréna car on voyageait l'après-midi même des rencontres avant le début de la saison officielle. J'ai revu mon plan de match dans le vestiaire. Il y avait trois durs à cuire dans le camp des Devils : Lyle Odelein, Sasha Lakovic et Krzysztof Oliwa, un géant polonais de 6 pieds 5 pouces. En tant que défenseur, Odelein n'était pas considéré comme un *tough* de service à proprement parler. Il pouvait se battre, et très bien, mais seulement si les circonstances l'y obligeaient. Il devait d'abord se concentrer sur son rôle à la défense. Lakovic était dans la même situation que moi, il tentait de mériter un poste « en haut » après avoir suivi un parcours semblable au mien dans les mineures. Il n'était pas question qu'il se batte contre moi : il devait s'en prendre à un régulier de la LNH pour montrer à ses patrons qu'il avait sa place dans l'équipe, et je n'avais rien à prouver, moi non plus, face à un gars issu des mineures. Oliwa, en revanche, était au sommet de sa carrière à ce moment-là et était l'homme à combattre.

Dans le vestiaire, j'ai eu une sensation vraiment extra-ordinaire quand est venu le moment d'endosser l'uniforme rouge du Canadien. J'étais comme dans un rêve, mon rêve enfin réalisé ? Je savais que c'était peut-être la dernière fois que j'enfilais cet uniforme tant désiré. J'ai pris mes Ripped Fuel sans me cacher ni épier les autres. Ce qui se passait dans le vestiaire du Canadien n'était pas différent de ce que j'avais vu ailleurs. La plupart des gars avaient leurs pilules, des Ripped Fuel, des Sudafed ou d'autres stimulants. Ce n'était pas une grosse affaire, c'était banal de prendre des pilules avant un match, ça n'offensait personne. Certains n'en prenaient pas, cependant ; ils se contentaient d'un café. La seule chose que je changeais dans ma routine, c'est que je laissais ma boîte de pilules au fond de mon sac d'équipement une fois le match commencé. Quelques jours plus tôt, un gars m'avait prévenu de ne pas laisser ma bouteille au-dessus de mon casier — comme je le faisais toujours depuis des années — parce qu'il y avait beaucoup de journalistes dans les parages et que ça pourrait faire jaser.

Aux premières minutes du match, je me suis retrouvé devant Oliwa à une mise en jeu. Je pensais que j'aurais peut-être à le frapper dans un coin de la patinoire pour le provoquer au combat, car les vétérans n'aiment généralement pas jeter les gants contre des recrues, ils n'ont rien à gagner dans ces batailles. Pourtant, dès qu'il m'a regardé, je lui ai dit « *Let's go !* », et il a accepté d'un signe de tête. On a aussitôt jeté les gants. Le combat a été furieux et il a duré plus d'une minute, directement devant le banc du Canadien. On se frappait comme des enragés. Je portais des marques au visage après la bagarre, mais il était assez amoché, lui aussi. J'ai réussi à lui faire plier les genoux deux fois. Tout compte fait, ma première partie en uniforme s'est vraiment bien déroulée. Je me suis battu, mais j'ai aussi distribué mon lot de mises en échec.

Le lendemain du match contre les Devils, j'ai fait l'inventaire de mes bâtons dans le vestiaire du Centre Molson. Je jouais avec les mêmes vieux bâtons depuis deux ans, des Louisville noirs en aluminium que je n'osais pas changer, de peur de ne pas retrouver la même sensation. Vincent Damphousse, le capitaine de l'équipe, était assis à côté de moi et s'est mis à me taquiner au sujet de mes vieux bâtons. Il m'a invité à passer dans une autre salle où des centaines de bâtons neufs étaient entreposés. J'avais les yeux grands comme ceux d'un enfant dans un magasin de jouets. Souriant, le préposé Bobby Boulanger m'a donné des bâtons Nike en fibre de verre. Ils étaient beaucoup plus légers et ils allaient bien. Je pouvais en commander autant que j'en voulais. Dans la Ligue internationale, on était pris avec les bâtons qu'on nous donnait et il y en avait un nombre limité. J'ai été impressionné et même flatté par l'attention du capitaine. J'étais une recrue inconnue, après tout. Mais Vincent était comme ça. Il traitait tout le monde sur un pied d'égalité.

Le jour suivant, on avait un match à Toronto. J'ai survécu à une autre vague de coupures. Le groupe devenait de plus en plus restreint, mais j'avais encore ma place dans le vestiaire du Canadien. Ce matin-là, Pierre Rinfret de CKAC est venu m'interviewer. Il m'a demandé comment ça allait et si je m'attendais à être là pour affronter les Maple Leafs le lendemain à Toronto. Je l'ai trouvé très sympathique. En fin de journée, je l'ai entendu par hasard à la radio — c'était la première fois que j'écoutais *Les Amateurs de sports* — et il critiquait mon coup de patin en plus de douter de mes chances de rester avec l'équipe. Pierre Rinfret faisait sa job, mais je ne comprenais pas comment il pouvait se montrer si gentil avec moi dans l'avant-midi et tenir des propos si durs sur mon compte quelques heures plus tard.

Si ça c'était produit dans la Ligue internationale, j'aurais sans doute interpellé le reporter le lendemain ; il faut dire qu'il n'y en avait qu'un seul dans l'entourage des Aeros de Houston ! Mais à Montréal, c'était différent. Je me suis raisonné : il fallait laisser les journalistes faire leur boulot et je devais accepter leurs critiques, que ça me plaise ou non. Sauf que je n'ai plus jamais écouté d'émission sur le hockey à la radio ou à la télé par la suite, pour ne pas miner ma confiance.

Dans l'avion pour Toronto, j'avais un seul visage en tête : celui de Tie Domi. Ce petit attaquant des Maple Leafs était l'un des trois bagarreurs les plus réputés de la Ligue nationale, aux côtés de Bob Probert des Blackhawks de Chicago et Tony Twist des Blues de St. Louis. Je voulais en affronter au moins un des trois, sinon les trois, pour me faire un nom. Dès le début du match, je me suis dirigé vers Domi pour le provoquer en duel. Je ne savais pas s'il allait accepter parce que les bagarreurs d'expérience ne sont pas tenus, selon notre loi tacite, de se battre contre des recrues. Comme je m'y attendais, Domi a refusé mon invitation. Il m'a néanmoins passé le gant au visage pour me narguer. Je l'ai poussé avec mon bâton en l'invitant de nouveau, mais mon bâton a cassé sous l'impact. Il n'en fallait pas plus pour que l'arbitre m'envoie en punition. Ça n'a sûrement pas plu aux entraîneurs. Mon geste serait sans doute passé inaperçu si j'avais eu mon vieux bâton en aluminium, mais le beau bâton neuf reçu la veille m'a trahi.

Je m'attendais à une réaction orageuse d'Alain Vigneault à mon retour au banc de l'équipe, mais il m'a gentiment donné une deuxième chance en me renvoyant contre Domi à la mise en jeu qui a suivi ma sortie de punition. Il voulait sans doute me permettre de me reprendre parce qu'il savait que je voulais à tout prix faire mes preuves. Je me retrouve alors devant Domi et je lui dis : « *Let's go !* » Domi refuse encore mon invitation : « *Make the team first* », me lance-t-il.

J'étais déçu. Il me fallait absolument un combat contre lui. Je me suis dit que j'allais avoir l'occasion de le frapper plus tard pendant le match et qu'il n'aurait alors d'autre choix que de me donner ma chance. Quelques instants plus tard, il me passe à nouveau le gant au visage et se lance sur Terry Ryan dans le coin de la patinoire pour engager le combat avec lui.

J'étais vraiment furieux. Je devais changer de stratégie. Il fallait que j'inflige une bonne mise en échec à un des meilleurs joueurs des Maple Leafs pour provoquer une réaction de sa part quand il serait de retour sur la glace après sa punition. Lorsqu'il a quitté le banc, je suis allé lui demander s'il avait peur de moi. Je ne comprenais pas qu'il se soit attaqué à Ryan, un gars qui n'est pas considéré comme un poids lourd. Il a continué à patiner puis, alors que j'avais le dos tourné, il m'a fait perdre l'équilibre en me frappant sur l'épaule par-derrière, sans que les arbitres le voient. Je me retourne et lui assène un autre coup de bâton. À nouveau, le bâton casse en deux ! C'était ma deuxième punition idiote du match et les Maple Leafs en ont profité pour compter en supériorité numérique. Je n'ai pas osé regarder Alain lorsque je suis retourné à notre banc.

Peu après, Domi s'est attaqué à Brad Brown et les deux ont jeté les gants. Je capotais. Je savais désormais que je n'avais plus aucun espoir de me battre contre lui, parce qu'une troisième bagarre dans un même match entraînait automatiquement l'expulsion. J'avais failli à ma mission, bien malgré moi. Le plus drôle, c'est que j'ai réussi à compter mon premier but dans la Ligue nationale au cours de ce match, mais ce n'était pas assez pour me faire oublier la déception d'avoir raté mon rendez-vous avec Domi. Tout le monde me félicitait, mais je savais que ce n'étaient pas les buts marqués qui allaient me permettre de jouer dans la LNH. Ce serait plutôt mon travail de bagarreur. De plus, j'avais coûté un but à mon club à cause d'une punition inutile.

En arrivant dans le vestiaire du Centre Molson le lendemain, je me suis empressé de changer de bâton. Je voulais quelque chose de plus solide. Je sais que ça peut paraître violent, mais c'est souvent avec mon bâton que j'attendais l'adversaire qui venait me mettre en échec. Je devais le faire parce que j'étais un *tough* et que pour ne pas perdre le respect de leurs coéquipiers, les *toughs* ne sont pas censés se faire frapper par les joueurs de l'autre équipe. C'était donc mon moyen de les dissuader de me mettre en échec. Sauf que je n'allais pas faire une longue carrière dans la LNH avec des bâtons qui cassaient à tout bout de champ.

On avait un autre match à disputer en soirée. Une occasion spéciale pour moi car il s'agissait de ma première partie au Centre Molson, et les Rangers de New York, avec le légendaire Wayne Gretzky, étaient les visiteurs. J'étais assez fébrile dans l'après-midi à l'idée d'affronter ce grand joueur en fin de carrière.

Je n'étais pas encore très connu des amateurs de hockey à l'époque. En me rendant au Centre Molson pour la rencontre, un revendeur m'a abordé devant l'amphithéâtre pour me vendre une paire de billets. Je lui ai souri et j'ai répondu que j'allais jouer. Il m'a dit: «Ah oui? T'es le nouveau.» À partir de ce jour, il s'est toujours souvenu de moi.

J'avais bien étudié la formation des Rangers. Darren Langdon, qui allait jouer pour le Canadien six ans plus tard, était le dur à cuire attitré de l'équipe. Le Montréalais P.J. Stock ne détestait pas la bagarre, lui non plus, mais Langdon était le gars à affronter pour rehausser ma cote. J'avais analysé ses combats sur vidéo et je savais qu'il était un bagarreur redoutable. L'échauffement a commencé. J'avais envie de regarder dans les estrades et d'envoyer la main aux membres de ma famille et à mes amis, étant donné que c'était mon premier match à Montréal après tant d'années dans les mineures, mais ça n'aurait pas fait très professionnel. Je me rappelle avoir levé les yeux vers les spectateurs et trouvé que les gradins n'en finissaient plus de monter. C'était vraiment impressionnant.

J'ai fait une présence sur la glace en début de rencontre, puis l'entraîneur m'a laissé sur le banc. À un moment donné,

Turner Stevenson est rentré au banc et personne ne semblait prêt à le remplacer. Je voyais Gretzky sur la patinoire et me rappelais cette recommandation des entraîneurs qui disent de sauter sur la glace de son propre chef s'il manque un joueur. Je n'allais pas laisser passer une telle occasion. Je me suis rapidement retrouvé à côté de Gretzky et j'ai patiné un peu à sa hauteur en faisant mine de le ralentir avec mon bâton. J'entendais les entraîneurs hurler mon nom derrière le banc. Ils devaient bien se demander ce que je faisais là. Ils ne voulaient surtout pas qu'un joueur de ma catégorie se retrouve sur la patinoire en même temps qu'une star du calibre de Gretzky, encore moins que je le provoque en duel.

Je ne suis pas resté très longtemps sur la glace avec Gretzky parce que l'arbitre a sifflé un arrêt de jeu. Alain Vigneault riait quand je suis revenu au banc : « *Moose*, tu m'entendais pas ?

— Je t'entendais très bien, *coach*, mais c'était peut-être la dernière fois de ma vie que j'avais la chance de jouer contre Wayne Gretzky. »

J'ai poussé la rigolade plus loin en faisant croire à Vigneault que je m'étais adressé à Gretzky au centre de la glace : « Je lui ai dit *"I got you Wayne! I got you Wayne!"* » Mais ce n'était pas vrai, j'aurais été beaucoup trop gêné pour faire ça.

Un peu plus tard, la bagarre a éclaté entre Scott Thornton et P.J. Stock. Je suis passé dans le coin, Langdon s'y trouvait, il m'a regardé : « *Let's go!* » Je n'en demandais pas plus. Je connaissais bien le style de Langdon. Il commençait ses combats très lentement, mais il était l'un des bagarreurs les plus rusés et ayant le plus d'endurance de la LNH. On a jeté les gants et j'ai réussi à l'atteindre de quelques bons coups de poing. Je voyais qu'il saignait un peu au visage. On a échangé quelques « taloches » et les juges de ligne sont intervenus pour nous séparer. J'étais heureux de les voir arriver parce que je commençais à m'épuiser.

Mais Langdon avait encore de l'énergie et les juges de ligne ont choisi de ne pas s'en mêler immédiatement. Langdon a commencé à enchaîner les petits *jabs* et j'avais de la difficulté à répliquer. Ses coups ne me faisaient pas mal mais je les sentais. Il y avait plein de monde dans les gradins du Centre Molson et mon orgueil était en jeu. Je me faisais donner des petits coups à la figure et je devais réagir, même si j'étais brûlé. J'étais le centre d'attraction, au beau milieu de la patinoire. Il n'était pas question que je continue à recevoir des coups sans en donner à mon tour, malgré l'épuisement.

C'est ce que j'ai réussi à faire, de peine et de misère. Somme toute, la bagarre s'est quand même bien déroulée pour moi car je l'avais bien amorcée. L'arbitre nous a expulsés de la rencontre parce qu'on avait engagé le combat alors qu'un autre se disputait déjà sur la glace. Le règlement est très strict là-dessus, la Ligue nationale voulant éviter les mêlées générales. J'étais un peu déçu de ne pas pouvoir compléter mon premier match à Montréal mais au moins, j'avais réussi à faire expulser le *tough* de l'autre club.

J'ai regardé le reste de la partie à la télé, dans le vestiaire de l'équipe. J'étais inquiet parce qu'avant chaque match, je me demandais toujours si ça n'allait pas être ma dernière présence dans l'uniforme du Canadien. Et je n'avais toujours pas l'impression d'avoir vraiment fait mes preuves. On m'a quand même donné la chance de continuer. J'allais disputer le match suivant à Providence, Rhode Island, contre les Bruins de Boston.

C'est là que j'ai commencé à sentir que j'appartenais de plus en plus à l'équipe. Des vétérans, comme Saku Koivu et Stéphane Quintal, venaient me parler comme si je faisais partie du clan. Je sentais que j'avais pris du galon. J'étais fébrile avant ce match contre les Bruins. Boston ne comptait pas vraiment de durs à cuire, mais l'idée d'affronter le club de Pat Burns m'impressionnait beaucoup. Dès le début du match, j'ai distribué quelques bonnes mises en échec, dont une percutante à l'endroit de Dimitri Khristich, l'une des vedettes des Bruins. Khristich était complètement sonné et a mis du temps à se relever. L'arbitre a décidé de m'expulser du match même si la reprise sur vidéo montrait que mon coup était parfaitement légal.

Pat Burns était dans tous ses états après la rencontre. «On va avoir la tête de Morissette lors de notre prochain match à Montréal!», a-t-il lancé aux journalistes. Sa remarque me flattait beaucoup. Ça voulait dire que, pour lui, j'allais «faire» le club parce que notre prochaine rencontre devait avoir lieu en saison régulière. J'avais réussi à attirer son attention. Ce n'était quand même pas n'importe qui, Pat Burns.

Le vol de retour en avion nolisé a duré 45 minutes à peine et on est arrivés à Montréal peu après midi. Le temps d'aller prendre une bière avec les *boys*, question de décompresser un peu. J'étais pas mal plus stressé que la plupart de mes coéquipiers car les entraîneurs allaient effectuer les dernières coupures de personnel le lendemain. J'étais à une douzaine d'heures de savoir si mon grand rêve allait enfin se réaliser. S'ils me renvoyaient à Fredericton, je ne voyais pas comment je parviendrais à obtenir une autre occasion comme celle-là. Le suspense était vraiment insoutenable.

L'entraînement avait lieu à 11 heures le lendemain matin, et la direction allait annoncer les coupures juste après. J'avais des ailes sur la glace même si je n'avais presque pas dormi de la nuit. Je suis rentré au vestiaire après la pratique et la plupart des gars étaient calmes parce que leur poste était déjà assuré. On était peut-être cinq ou six à se sentir nerveux parce qu'il restait trois joueurs à retrancher. On savait comment ça allait se passer. Un des *coachs* allait entrer dans le vestiaire pour convoquer les exclus au bureau de l'entraîneur en chef.

Je me souviens de la scène comme si c'était hier. Roland Melanson s'est pointé dans la chambre pendant que les derniers joueurs à avoir quitté l'entraînement retiraient leur équipement protecteur. J'étais assis non loin de Francis Bouillon et Sylvain Blouin, et on attendait le verdict avec un mélange d'assurance et d'appréhension. Ça m'a paru une éternité. Puis Roland a ouvert la bouche: « Bouillon, Blouin, Delisle, dans le bureau d'Alain! Les autres, vous pratiquez demain. »

Le *feeling* que j'ai ressenti à ce moment-là est inexprimable. Je n'avais jamais gagné de Coupe Stanley, mais je me sentais comme le joueur qui remporte le précieux trophée pour la première fois après 20 ans dans la LNH. J'étais dans les mineures depuis huit ans et personne ne croyait plus vraiment en mes chances de percer. Et voilà que je me retrouvais dans l'équipe de mes rêves! La route avait été tellement longue et ardue. J'avais envie de hurler ma joie dans le vestiaire, mais je devais faire comme si de rien n'était, par respect pour les trois joueurs retranchés.

Bouillon, Blouin et Delisle sont sortis, et je me suis retrouvé seul dans ce beau grand vestiaire. C'était quand même une bien drôle de façon de se faire annoncer la réalisation du rêve d'une vie. Personne pour te donner une tape dans le dos ou te féliciter chaleureusement. Tu apprends que tu fais partie de l'équipe du Canadien de Montréal, après une quinzaine d'années d'efforts soutenus, en voyant simplement trois de tes coéquipiers se faire convoquer au bureau de l'entraîneur pour être renvoyés dans les mineures.

Mais je me foutais un peu de la façon dont je l'avais appris, finalement. L'important, c'était le résultat. J'allais enfin avoir la sécurité financière. Mon salaire passerait de 40 000 à 325 000 $. C'était incroyable juste d'y penser. J'avais gagné mon pari contre tous ceux qui me voyaient déjà à Fredericton. Je songeais à tous les coups de poing que j'avais reçus à la figure depuis mes années junior. Au risque que j'avais pris en acceptant l'offre du Canadien. Au sermon de cet homme dans l'avion entre Houston et Phœnix. À cette image de moi à la ligne bleue, dans un uniforme du Canadien, que je n'avais pas cessé de visualiser depuis l'hiver précédent. Je me suis rendu à la clinique et le soigneur Gaétan Lefebvre a été le premier à me serrer la main pour me féliciter. J'ai fait comme si j'étais au-dessus de mes affaires mais à l'intérieur, je rayonnais.

J'avais tellement hâte de retourner à l'hôtel pour téléphoner à Nancy, à mes parents, au « doc » et à Denise à Shawinigan, et à Stéphane Morin en Allemagne. Nancy criait de joie au bout du fil. Stéphane, lui, n'a pas répondu, alors j'ai laissé un message sur son répondeur. J'ai ensuite passé un coup de fil à mon père et au « doc ». Tout le monde était vraiment heureux pour moi. Je suis allé rejoindre Nancy à Trois-Rivières pour la soirée.

Je voyais quand même Nancy assez souvent pendant le camp d'entraînement car je faisais régulièrement l'aller-retour en autobus entre Montréal et Trois-Rivières après les pratiques d'après-midi. Plus le camp avançait, plus les gens à bord me reconnaissaient et me demandaient ce qu'un joueur de hockey qui gagnait des millions faisait dans l'autobus. Je n'en revenais pas de l'impact que ça pouvait avoir de jouer pour le Canadien. J'aimais prendre l'autobus simplement parce que ça m'évitait de conduire. C'était plus reposant.

Je suis reparti pour Montréal le lendemain matin. On devait disputer notre première rencontre de la saison régulière quatre jours plus tard, le samedi 10 octobre 1998, contre les Rangers de New York au Centre Molson. J'ai été l'un des premiers à me pointer pour la pratique. J'étais encore sur mon nuage. On était deux ou trois à lire les journaux dans le vestiaire. Je m'étais précipité sur la section «Sports» et je n'en revenais pas de voir que le *Journal de Montréal* et *La Presse* m'avaient consacré presque toute une page.

J'étais en train de lire lorsque le soigneur Gaétan Lefebvre a fait irruption dans le vestiaire et a lancé: «Y a-t-il quelqu'un ici qui connaît Stéphane Morin?» J'étais tellement concentré sur les articles à mon sujet que je n'ai pas levé les yeux. «Il est mort hier en Allemagne», a ajouté le soigneur.

J'ai continué à lire sans vraiment l'écouter. Dans ma tête, il devait s'agir d'un autre Stéphane Morin. Mon *chum* à moi avait seulement 29 ans et était en pleine forme. Gaétan a insisté et m'a montré la première page du *Journal de Montréal*: «Stéphane Morin meurt en Allemagne», avec une photo de mon meilleur ami. Je me suis senti mal. J'étais en état de choc. J'ai tourné la page où il était question de moi et l'article sur la mort de Stéphane se trouvait au verso. On était dos à dos dans le journal. J'ai lu qu'il s'était écroulé pendant un match de son équipe, les Capitals de Berlin, foudroyé par une crise cardiaque. Je ne savais pas comment réagir. Et l'entraînement qui allait commencer dans une heure!

Si j'avais été un vétéran, j'aurais quitté le Centre Molson sur-le-champ, mais je ne pouvais pas me le permettre. J'avais appris la veille que j'avais «fait» l'équipe. Alors j'ai sauté sur la glace comme si rien ne s'était passé. Il s'agissait de ma première pratique depuis que j'appartenais au club, après tout. Mon ami était mort et j'avais un travail à faire. Après l'entraînement, tous les gars dans le vestiaire sont venus m'offrir leurs condoléances. Ils savaient que Stéphane et moi, on était très proches. Alain Vigneault m'a dit qu'il allait essayer de s'arranger pour que j'aille aux funérailles.

Je suis retourné à ma chambre d'hôtel dans l'après-midi. Comme je n'y avais pas été depuis deux jours, la boîte vocale de mon téléphone était pleine. Je devais avoir une quarantaine de messages. Tout le monde m'appelait pour me féliciter. Mes amis, mes anciens entraîneurs, des connaissances. Puis je suis tombé sur un message de Stéphane. Il était super enthousiaste et il me félicitait d'avoir «fait» le club. Il m'a dit qu'il s'en allait à son match et qu'on allait se reparler plus tard. Deux messages plus loin, sa femme Karen m'annonçait en sanglots qu'il était arrivé quelque chose de grave à Stéphane.

Le message suivant avait aussi de quoi me jeter à terre : mon fameux monsieur de l'avion Houston-Phœnix avait réussi, par je ne sais trop quel moyen, à me retracer. Il me félicitait pour mon exploit et ajoutait qu'il avait toujours été convaincu que j'allais porter l'uniforme du Canadien un jour. Avec la fatigue mêlée aux émotions fortes de la journée, je me demandais si je ne faisais pas encore un rêve, un bizarre de rêve…

J'ai passé l'après-midi au téléphone avec Karen. On a beaucoup pleuré. Je pensais à leur fils Frédéric, du même âge que Jeremy. Je pensais à la promesse qu'on s'était faite, Stéphane et moi, d'être voisins à la fin de notre carrière. Karen m'a appris comment c'était arrivé. Stéphane avait déjà disputé la première période, il complétait sa première présence en deuxième période et, en allant chercher un nouveau bâton derrière le banc, il est tombé dans les bras du soigneur. Ils ont essayé de le réanimer pendant une heure, mais il paraît qu'en 10 secondes, il était parti. Encore aujourd'hui, j'en reparle et j'ai des frissons.

J'étais hanté par la mort de Stéphane. Je pensais constamment à sa femme et à son jeune garçon. Certaines réactions m'ont fait rager. En Europe, on sous-entendait qu'il avait pu consommer des stéroïdes. C'était totalement faux, j'étais bien placé pour le savoir. Stéphane n'avait jamais touché aux stéroïdes, ne consommait pas de drogues illicites et faisait attention à ce qu'il mangeait. Tout ce qu'il faisait, c'était prendre quelques Ripped Fuel ou des Sudafed avant les matchs, comme tout le monde dans notre entourage. Il n'y avait rien d'illégal dans tout ça, on pouvait trouver ces produits dans n'importe quelle pharmacie et personne ne disait à l'époque qu'ils pouvaient être dangereux pour la santé. Dans mon esprit, c'était moi, avec ma consommation de stéroïdes, qui risquais de mourir d'une crise cardiaque, pas lui.

J'étais tout croche à la pratique, le lendemain matin, mais je ne pouvais pas montrer de faiblesse. Surtout qu'on allait disputer notre match d'ouverture contre les Rangers le soir suivant au Centre Molson. J'ai cependant senti très vite, à certains indices, que je pourrais être laissé dans les estrades pour cette première rencontre. Je pratiquais en compagnie de Jonas Hoglund, alors que tous les autres joueurs de l'équipe

127

avaient un trio régulier. Hoglund et moi, on portait un chandail de pratique gris, celui des réservistes. Il était toujours préférable d'avoir un chandail de pratique bleu foncé, vert, bourgogne ou bleu pâle sur le dos. Ça signifiait que nos chances de jouer étaient nettement meilleures parce que chaque trio régulier avait sa couleur de chandail. Quand les entraîneurs m'ont demandé de rester sur la glace plus longtemps que les autres pour faire des exercices supplémentaires, j'ai su que j'allais rater le match d'ouverture.

Bien des choses changent dans ta vie lorsque tu fais partie de l'équipe du Canadien de Montréal. Par exemple, après l'entraînement, les représentants des fabricants d'équipement sont tous venus me voir. Le gars de Sherwood m'a demandé si je voulais jouer avec les gants de sa compagnie. Je lui ai répondu que ça me ferait plaisir. J'étais bien heureux d'avoir autant de gants que j'en voulais. De toute façon, sa marque ou une autre, je ne voyais pas de différence. Mais j'ai fait le saut quand il a ajouté que Sherwood m'offrait 5 000 $ pour porter ces gants-là. J'aurais été fou de refuser.

Ensuite, un gars de l'organisation du Canadien est venu me donner les deux billets gratuits auxquels j'avais droit pour chaque match. J'ai regardé le prix des billets : 125 $ chacun. Dire que les billets coûtaient 15 $ au maximum dans la Ligue internationale ! Je n'en revenais pas que des gens puissent payer aussi cher pour aller regarder une partie de hockey. Quand je jouais dans la *East Coast*, ça représentait des jours de salaire pour moi.

Le Canadien l'a emporté 7 à 1 ce soir-là, et il n'était pas question pour Alain Vigneault de modifier sa formation pour la rencontre du lundi contre les Mighty Ducks d'Anaheim. Quelques jours plus tard, Alain m'a annoncé que j'allais disputer mon premier vrai match le vendredi suivant, à Washington. J'étais fou de joie, mais déchiré aussi : les funérailles de Stéphane étaient prévues le jour de notre départ vers la capitale américaine. J'ai repensé à ma conversation avec mon grand-père Fortin l'année précédente et me suis dit que Stéphane aurait d'abord souhaité que je dispute mon match. Après en avoir discuté avec Karen et les parents de Stéphane, j'ai décidé de me rendre à Washington. Nancy m'a représenté à l'enterrement.

Plusieurs journalistes sont venus m'interviewer avant notre départ. Pas à cause de Stéphane Morin — ils étaient peu au courant de notre amitié, sauf peut-être François Gagnon du *Soleil* de Québec — mais parce que je disputais le premier match de ma carrière avec le Canadien. Certains de mes coéquipiers pouvaient ressentir une certaine pression à être constamment sous les feux des médias, mais pas moi. Au contraire, ça m'amusait. Je trouvais ça le *fun*. J'ai des coéquipiers, en revanche, qui semblaient toujours répondre aux mêmes questions, jour après jour. Ça ne devait pas être évident.

Vincent Damphousse m'impressionnait beaucoup à ce chapitre. En tant que capitaine, c'est souvent lui qui «organisait» le vestiaire avant l'arrivée des journalistes. Après les défaites, parfois humiliantes, il disait aux gars qui se faisaient tirer l'oreille: «*Come on boys*. Ça nous tente pas toujours, mais ça fait partie de nos responsabilités. C'est juste un mauvais moment à passer. On va donner nos entrevues et après, on aura la paix.» Il avait toujours le contrôle de la situation.

On s'est tous retrouvés dans l'avion. Notre *trainer* Pierre Gervais nous a remis l'argent pour nos repas des deux jours. Il y avait environ 160 $US dans l'enveloppe. Ça tombait bien car mes finances étaient presque à sec. Je n'avais pas encore reçu de chèque parce qu'on n'est pas payés pendant le camp d'entraînement. En arrivant à Washington, j'ai suivi la gang de francophones dans un grand *Steak House* pour un souper de groupe. Jocelyn Thibault était là, José Théodore, Patrick Poulin, Benoît Brunet et Patrice Brisebois. Benoît était super gentil avec moi et me traitait comme si ça faisait 20 ans que je jouais avec lui. Les gars se regroupaient vraiment en fonction de la langue. Les francophones ensemble, les anglophones entre eux, les Russes de leur côté. C'était la première fois de ma carrière que je remarquais un tel phénomène. Ce n'était pas nécessairement mauvais, c'était comme ça. Vincent Damphousse et Stéphane Quintal, eux, se tenaient avec tout le monde.

J'étais un peu mal à l'aise au restaurant parce que j'appréhendais le moment où le serveur apporterait l'addition. Je savais comment les soupers d'équipe fonctionnaient. Tout le monde commandait ce qu'il voulait et on partageait l'addition à la fin du repas. Je voyais les bouteilles de vin défiler et je me demandais bien comment j'arriverais à payer ma part.

Finalement, je suis rentré à l'hôtel les poches vides ce soir-là. Mais je m'en fichais dans le fond, parce que je n'avais pas été obligé d'emprunter à un de mes nouveaux coéquipiers — ce qui aurait été franchement gênant — et que ma première paye allait arriver dans la semaine.

Encore une fois, je venais de monter d'un cran dans la qualité de vie: le restaurant était même supérieur à ceux que je fréquentais avec mes coéquipiers des Aeros de Houston, pourtant riches de leurs années dans la LNH. Quand on était entrés dans la salle à manger, les préposés à l'équipement s'y trouvaient déjà. Eux aussi, ils profitaient mieux de la vie et avaient une culture générale plus étendue. C'est Pierre Gervais et Bobby Boulanger qui initiaient les joueurs aux bons vins et aux cigares de qualité! J'avais vraiment l'impression d'arriver dans le grand monde.

José Théodore était mon compagnon de chambre au début de la saison. José amorçait sa carrière dans la LNH à l'époque, il était l'auxiliaire de Jocelyn Thibault. Alain Vigneault me l'avait affecté comme compagnon de chambre, même si j'avais prévenu la direction de l'équipe qu'il était préférable que je dorme seul parce que j'étais un très gros ronfleur. Mais les entraîneurs tenaient à ce qu'on soit deux par chambre, selon la vieille tradition du hockey. Ça permettait aux joueurs d'éviter la solitude et ça restreignait un peu leur liberté — c'est plus difficile de faire monter une fille dans sa chambre quand un coéquipier s'y trouve déjà!

L'expérience n'a pas duré très longtemps. Un mois plus tard, au New Jersey, j'ai retrouvé José le matin, étendu sur le divan du petit salon à l'avant de la chambre. Il n'avait pas dormi de la nuit et devait affronter les Devils en soirée. José a mis les choses au clair: «J't'aime bien, *Moose*, mais j'peux vraiment plus rester avec toi…»

Le lendemain, on m'a jumelé à Jonas Hoglund, un attaquant qui figurait plus ou moins dans les plans de l'équipe. J'ai appris pourquoi ils m'avaient mis avec Hoglund quand celui-ci m'a confié que le club cherchait à l'échanger. Aucun autre joueur ne voulait dormir dans la même chambre que moi. Hoglund me répétait toujours qu'il avait très hâte d'être échangé; je me demande si le fait de partager une chambre avec moi ne contribuait pas à sa hâte de partir.

Quoi qu'il en soit, le matin de mon vrai baptême dans la LNH, à Washington, je me suis réveillé très stressé. Je déjeunais rarement, mais je me suis dit que je devais manger quelque chose parce que c'était peut-être la journée la plus importante de ma vie. J'ai réussi à avaler un bol de céréales avant de me rendre à l'aréna pour l'entraînement. Ça me faisait tout drôle de savoir que j'allais disputer mon premier match dans la Ligue nationale contre le club qui m'avait repêché au tout début de ma carrière professionnelle.

Les Capitals avaient deux durs à cuire dans leur formation, Chris Simon et Craig Berube, mais j'ai été déçu d'apprendre que Simon n'y serait pas à cause d'une engueulade avec son entraîneur. Autre déception : la rencontre à Washington était l'une des rares de la saison à ne pas être présentée à la télévision québécoise.

Je me souviendrai toujours de la scène dans le vestiaire, juste avant la rencontre : Benoît Brunet était assis en face de moi et ne cessait de me répéter : « T'as 27 ans et c'est ta première *game* dans la Ligue nationale. T'as jamais lâché. Profites-en au maximum. » Je *tripais* parce que je me faisais dire depuis un bon moment que j'étais trop vieux pour jouer dans la Ligue nationale. J'étais très fier de n'avoir jamais abandonné.

Alain Vigneault m'a envoyé à l'aile gauche du quatrième trio en compagnie de Matt Higgins, un choix de première ronde qui n'allait jamais percer, et Jonas Hoglund. Dès ma première présence, Berube se trouvait déjà sur la glace avec la rondelle. J'ai foncé vers lui dans le coin et l'ai mis en échec. Je voulais provoquer quelque chose. Je l'ai poussé à nouveau pour l'inciter au combat, mais il n'a pas réagi. J'ai continué mon tour régulier au sein du quatrième trio et je l'ai provoqué de nouveau plus tard dans le match. Il n'a jamais voulu se battre. Berube était un bagarreur en fin de carrière et voulait choisir son moment pour jeter les gants. Ce soir-là, de toute évidence, il n'avait pas envie de se battre. Il n'était pas obligé, non plus, de me donner ma chance simplement parce qu'il s'agissait de mon premier match. On a annulé 2 à 2 et j'ai bénéficié de beaucoup plus de temps de glace que pendant mes matchs dans les mineures. Je ne m'étais pas battu comme je l'aurais souhaité, mais je savais que ma soirée serait plus animée le lendemain, au Centre Molson.

Chapitre 9

Sur le vol de retour vers Montréal, Roland Melanson m'a confirmé que j'affronterais les Sabres de Buffalo et leur dur à cuire Rob Ray, le lendemain soir au Centre Molson. Ce match allait me coller à la peau pour un bon moment...

Rob Ray était l'un des bagarreurs les plus réputés de la ligue. Mais il ne me faisait pas trop peur parce qu'il n'était pas un géant. À 6 pieds et environ 215 livres, il me semblait à ma mesure car la portée de ses bras n'excédait pas la mienne. Je craignais toujours davantage les bagarreurs de 6 pieds 4 pouces à cause de leur portée plus longue.

Je me sentais survolté avant la rencontre parce qu'il s'agissait de mon premier match en saison régulière au Centre Molson et que les Sabres, une équipe agressive, étaient les visiteurs. Il y a tout un monde de différence entre une rencontre préparatoire et un match régulier : les gradins sont remplis et la foule manifeste beaucoup plus. Il y a de l'électricité dans l'air.

Je me suis présenté au Centre Molson à la fin de l'après-midi, trois heures avant le début du match, comme Guy Lafleur le faisait à l'époque. J'ai eu le temps de me préparer tranquillement, de visualiser mon combat contre Ray et le travail que j'aurais à accomplir. Scott Thornton et Turner Stevenson, qui avaient déjà affronté Ray, m'ont prodigué quelques conseils également. J'étais flatté de voir que des vétérans se donnaient la peine de m'aider. Ils m'ont dit de ne pas hésiter à lui envoyer un bon uppercut car Ray était particulièrement sensible aux coups sous le menton. Je les ai écoutés, mais je ne savais pas quoi faire de leurs recommandations. N'étant pas très à l'aise avec ce coup, je ne donnais jamais d'uppercuts. J'hésitais à suivre leurs conseils aussi, parce que la seule fois où j'avais appliqué les suggestions d'un coéquipier, dans les rangs junior, j'avais reçu une formidable correction des mains de Raymond Saumier. Depuis, je m'étais toujours dit que j'allais me fier seulement à mon instinct.

J'étais vraiment sur l'adrénaline en quittant le vestiaire. J'avais passé les dernières heures à me motiver et à me dire qu'il fallait que je sois plus *tough* que jamais face aux Sabres et à Ray. Je n'avais pas le droit à l'erreur. Mais mon moral est tombé à zéro sur le banc, quelques instants avant le début de la rencontre : l'annonceur-maison a demandé à la foule d'observer une minute de silence pour Stéphane Morin, pendant que défilaient sur l'écran géant des images de mon *chum*. C'était carrément irréel. J'ai été obligé de quitter le banc pour me retirer au vestiaire. J'avais trop envie de pleurer. J'étais parvenu à mettre de côté son souvenir le temps de me préparer à ce match et voilà qu'on me rappelait cruellement sa mort. Je comprends que c'était correct, pour la direction, d'honorer sa mémoire, mais moi, ça me mettait tout à l'envers. Il fallait que je surmonte mes émotions, il n'était pas question qu'elles m'empêchent de faire mon travail. Je me suis ressaisi et suis remonté au front.

Dès ma première présence sur la patinoire, je me suis retrouvé devant Rob Ray à la mise en jeu. Il savait que j'étais là pour me battre et ça le tentait, lui aussi. On a jeté les gants sans dire un mot et on a commencé à se cogner. J'ai pensé au coup sous le menton que Stevenson m'avait conseillé de lui administrer. Au moment où j'ai sorti mon uppercut, j'ai trébuché, sans doute à cause de ma fébrilité. Ray lançait une droite au même moment, mais il n'a pas réussi à m'atteindre parce que je tombais. Une sorte de murmure est passé dans les gradins. Aux yeux des spectateurs, je venais de me faire assommer d'un bon coup de poing. J'étais piqué dans mon orgueil. Je me suis relevé immédiatement pour continuer le combat, mais les juges de ligne sont intervenus.

En arrivant au banc des punitions, j'enrageais. J'ai regardé Ray et lui ai demandé de m'accorder une revanche à notre retour sur la glace. Il m'a répondu en riant: «Vous autres, les jeunes, vous êtes trop gros pour moi…» Je n'ai jamais eu honte d'avouer mes défaites. Mais dans ce combat, jamais Ray ne m'avait frappé solidement. Je me sentais humilié. Il y avait plus de 21 000 amateurs de hockey dans les estrades, des centaines de milliers d'autres devant leur téléviseur, et ils croyaient tous que je venais de me faire sonner. Ma carrière avec le Canadien ne tenait qu'à un fil et je voyais tout s'écrouler à cause d'une malencontreuse glissade, mal interprétée par les spectateurs. La plupart des gens croient que le perdant d'un combat est celui qui tombe le premier, même s'il a distribué 100 coups de plus que son adversaire.

À mon retour sur la glace, je n'avais que Ray en tête. Il me fallait absolument avoir ma revanche. J'ai eu l'occasion de le faire rapidement, pendant une escarmouche entre Stéphane Quintal et lui dans le coin de la patinoire. Quand je suis arrivé, un autre *tough* des Sabres, Paul Kruse, s'est attaqué à moi avant que je ne puisse attraper Ray. Le combat s'est terminé à mon avantage, mais je n'avais pas réussi à me venger sur Ray.

J'étais très déprimé après la partie. Je me rappelle que je ne voulais pas quitter le Centre Molson. Nancy était dans les estrades avec Karen, la veuve de Stéphane, en plus des 21 000 spectateurs et des journalistes. J'ai soudain ressenti toute la pression que représente l'uniforme du Canadien. Dans les mineures, je pouvais avoir de mauvais combats et même perdre des bagarres, mais personne ne s'en formalisait vraiment. Quand tu joues pour le Canadien, tu en entends parler partout. Déjà, moins d'une heure après le match, je pouvais voir la reprise du combat diffusée à répétition par RDS sur les nombreux écrans télé du Centre Molson. Je capotais. Mais je ne pouvais pas le montrer. Je ne pouvais laisser paraître aucune faiblesse.

Il fallait que je me raisonne, que je ravale ma honte et que je tourne la page. Je suis allé prendre une bière dans un bar. Là aussi, on repassait mon combat sur les écrans géants. Les gens étaient corrects avec moi, mais ils me disaient des trucs comme: «Il est *tough*, Ray, hein?» Ou encore: «Tu te reprendras la prochaine fois.» Au moins, j'avais un avantage sur les boxeurs professionnels: je pourrais toujours me reprendre quelques jours plus tard, lors du match suivant, alors que les boxeurs doivent attendre six mois avant le prochain combat.

Le lendemain, à l'entraînement, Roland Melanson m'a dit d'oublier tout ça, de continuer à faire mon travail comme je le faisais au camp d'entraînement. Roland était un confident pour moi et pour bien des joueurs. Il savait toujours employer les bons mots pour nous remonter le moral.

Après la pratique, le président de l'équipe, Ronald Corey, nous a convoqués en *meeting*. Il prononçait un discours devant les joueurs à chaque début de saison. C'était quelque chose pour moi, le petit gars de Baie-Comeau qui avait toujours rêvé de jouer pour le Canadien, de l'entendre parler de l'importance de représenter dignement l'organisation. Il nous a résumé l'histoire du club, évoquant Maurice Richard et Guy Lafleur, entre autres, soulignant leur fierté d'avoir joué pour le Canadien, le soin qu'ils mettaient à signer des autographes. Cette rencontre a duré environ une heure et j'en suis ressorti très ému. Je me sentais encore plus privilégié d'appartenir à l'équipe. Je vivais un véritable conte de fées. Les gens m'abordaient dans la rue. Dans certains restaurants, les propriétaires refusaient que je touche à mon portefeuille. J'évitais ces endroits parce que ça me gênait trop de me faire payer des repas par des gens que je ne connaissais pas.

Je sentais vraiment, enfin, que je faisais partie de l'équipe. Dans la semaine qui a suivi le match contre Buffalo, Turner Stevenson m'a téléphoné pour m'inviter à souper avec Saku Koivu et Brian Savage. Ça m'a touché qu'ils me demandent à moi, simple recrue, de les accompagner. On est allés à *La Queue de cheval*, un restaurant chic que je connaissais de réputation. Ça nous a coûté presque 900 $ à quatre. J'ai sursauté en voyant l'addition parce que je n'avais pas encore reçu mon premier chèque de paye, mais je n'ai rien laissé paraître. Ils se sont chargés de ma part avant même que j'aie le temps de sortir mon portefeuille. Ils m'avaient invité parce qu'ils savaient que j'étais seul à l'hôtel ce soir-là, et aussi en reconnaissance de mon travail acharné et honnête sur la glace. Dans le vestiaire du Canadien, le respect se gagne au mérite sur la patinoire, pas à l'épaisseur du portefeuille.

Le match suivant avait lieu quelques jours plus tard contre les Blackhawks de Chicago, une équipe qui comptait l'un des plus redoutables bagarreurs de l'histoire de la LNH, Bob Probert. Ce colosse de 6 pieds 3 pouces et 225 livres semait la terreur dans la Ligue depuis une dizaine d'années. Il avait 32 ans et ses meilleurs jours étaient derrière lui, mais il n'en demeurait pas moins un adversaire que plusieurs craignaient. Il avait été l'une de mes grandes idoles de jeunesse, même si je n'approuvais pas sa conduite à l'extérieur de la glace. Ses problèmes d'alcool et de cocaïne étaient bien connus. Je pouvais comprendre ce qu'il vivait. La pression est tellement forte sur les bagarreurs. Je me disais qu'il devait sans doute consommer pour s'évader ou, du moins, pour supporter la tension. Il n'était pas le seul dans cette situation. Tu joues ta vie et ton honneur à tous les matchs, et après chaque rencontre, tout retombe subitement, la guerre est finie… jusqu'à la prochaine partie.

Je ressentais énormément de pression à la veille du match contre Probert, surtout après mon combat raté contre Rob Ray. Je savais qu'il me fallait affronter Probert coûte que coûte et faire bonne figure. La commande n'était pas mince. Je venais justement de voir un de ses récents combats sur le réseau ESPN, il avait infligé toute une correction à Scott Parker, de l'Avalanche, qui n'était pourtant pas un enfant de chœur, lui non plus. Mais je ne devais pas me laisser impressionner. Avant le match, Stéphane Quintal est venu me dire que je n'allais pas être seul pour faire la job de bras, qu'il allait me seconder. Stevenson et Corson m'avaient donné leurs recommandations. Je n'arrêtais pas de visualiser mon combat avec Probert.

J'essayais d'avoir l'air détendu pendant l'échauffement. Il faut toujours jouer un peu la comédie, essayer de faire croire à l'adversaire qu'on est au-dessus de nos affaires. Mais au fond, j'étais nerveux parce que j'avais beaucoup de choses à prouver pour me réhabiliter à la suite de mon dernier combat. Du coin de l'œil, je regardais Probert s'échauffer et je sentais qu'il m'observait, lui aussi. Il avait sûrement été prévenu de ma présence et de ma réputation par ceux de ses coéquipiers contre qui j'avais déjà joué dans les mineures. Je voyais qu'il prenait son air de *tough*. Dans ce genre de sport, le plus gros de la guerre psychologique entre deux bagarreurs se joue souvent pendant l'échauffement.

Sur le banc, avant le coup de sifflet initial, je me demandais comment j'allais arriver à le provoquer au combat sans écoper d'une punition stupide qui mettrait mon équipe dans l'embarras. Après tout, Probert n'était pas obligé de m'affronter. Dès ma première présence, je me suis retrouvé sur la patinoire en même temps que lui. Mon joueur de centre, Trent McCleary, a mis la table sans le vouloir : il a fait trébucher Probert en lui servant un croc-en-jambe sournois par-derrière. Probert a vu rouge et a foncé sur moi en se relevant, croyant que j'étais le coupable.

Je me sentais désavantagé en partant car la règle est de ne jamais mettre son adversaire en colère avant un combat : ça le rend encore plus dangereux. Mais je n'avais pas le choix parce que Probert a rapidement jeté les gants en me lançant, l'air mauvais : « *I'll fucking do you !* » C'était lui ou moi, pas de quartier. J'ai commencé à frapper, à frapper et à frapper. Quand je suis revenu à la réalité, il était à genoux, le visage ensanglanté. Tu ne vois pas vraiment ce qui se passe pendant un combat. Je l'ai senti tomber, mais c'est arrivé tellement vite. Je voyais qu'il était sonné et j'ai arrêté de frapper. Une autre loi tacite des bagarreurs : on cesse de cogner quand l'adversaire est en difficulté.

J'entendais la foule de 21 000 spectateurs hurler et j'en avais des frissons. J'exultais, mais je ne voulais pas commencer à me donner en spectacle et lever les bras en signe de victoire. Claude Ruel m'avait bien prévenu, dans les rangs junior, de ne jamais faire le clown après un combat. La foule a crié pendant de longues minutes. À sa sortie du banc des punitions, Probert s'est retiré au vestiaire. J'espérais qu'il ne reviendrait pas. Je savais qu'il voudrait une revanche et qu'il serait encore plus redoutable la prochaine fois. D'autant plus que ma main était enflée et mes jointures fendues. Il n'est pas revenu au jeu de la première période et je me suis dit qu'il devait être pas mal sonné.

Dans le vestiaire, à la première pause, les gars sont venus me féliciter. Je faisais mine de rien, je voulais donner l'impression que ce qui venait de se produire n'avait rien de spécial. Mais j'étais vraiment fier de moi. Il ne fallait cependant pas que je m'emballe trop vite. Comme disait l'autre, un match n'est pas terminé tant qu'il n'est pas fini, et surtout pas avec Probert. J'ai déjà vu des joueurs se faire assommer à 10 secondes de la sirène finale.

On n'a pas revu Probert en deuxième période. Mais en troisième, l'entraîneur des Blackhawks, Dick Graham, l'a envoyé sur la glace pour commencer la période. Alain Vigneault, qui avait le dernier mot pour les changements de trios parce qu'on était à domicile, m'a lancé contre lui. Alain l'a sans doute fait par respect pour Probert, afin de lui donner une chance de se racheter, et aussi pour me tester. Je me suis présenté à la mise en jeu, prêt à me battre de nouveau, même si ça ne me tentait plus tellement, avec ma main blessée. Il s'est approché de moi et il m'a demandé, justement : « Comment va ta main ? » Je lui ai répondu que ma main allait très bien. Je ne voulais pas qu'il pense que j'hésiterais à me battre encore. J'attendais seulement son signal — ce n'était pas à moi de commencer le combat, puisque j'avais remporté le précédent — mais à ma grande surprise, Probert s'est éloigné de moi, une fois la rondelle en jeu. Je me suis retrouvé dans le coin de la patinoire avec le disque, quelques secondes plus tard, quand je l'ai aperçu au dernier instant, arrivant sur moi avec son coude élevé. Je n'ai pu l'éviter et il m'a atteint directement au visage. Je m'apprêtais à sauter sur lui lorsqu'un de ses coéquipiers, Mark Janssens, est arrivé par-derrière et m'a accroché l'œil avec son pouce. L'arbitre est intervenu et je n'ai pas pu rejouer de la rencontre à cause de mon œil fermé. Mais j'étais content : mon honneur était sauf.

Après le match, je suis allé casser la croûte au *Hard Rock Café* avec ma femme et le gérant du restaurant ne voulait absolument pas que je paye la note. Il venait de me voir à la télé ; en fait, tout le monde dans la place avait vu le combat. Quand j'étais à Houston, je me sentais populaire, mais personne ne me voyait comme ça, à la télé. Ici, l'impact était énorme. J'ai pu le constater de nouveau le lendemain matin, en faisant ma petite marche quotidienne entre l'hôtel et le Centre Molson. Les gens me saluaient dans la rue, certains me donnaient des petits coups affectueux de leur journal roulé pour me féliciter. Il y a même un sans-abri, à qui je donnais toujours de l'argent en passant à son coin de rue, qui m'a félicité pour mon combat ! C'était fou. J'étais dans une belle grosse bulle. C'est drôle parce que Montréal me faisait tellement peur quand j'étais plus jeune, et maintenant c'était devenu ma ville et je me sentais le *king* de la métropole !

Au Centre Molson, le médecin de l'équipe m'a confirmé que j'avais la cornée égratignée. J'ai été obligé de rater les deux matchs suivants. Étant donné la précarité de mon poste au sein du club, ça m'inquiétait. Je gardais le sourire quand même. À mon retour, Vigneault a commencé à m'employer moins régulièrement. Je participais aux échauffements, mais quand j'entrais dans le vestiaire ensuite, avant le match, mon nom était rayé de la formation. C'était dur de toujours me préparer comme si j'allais jouer et affronter le *tough* de l'autre club, pour ensuite apprendre que je serais laissé de côté. Mais je ne m'en faisais pas trop parce qu'au moins, j'étais toujours à Montréal, avec mon club de rêve. Je me disais que c'était le chemin à suivre pour gravir les échelons.

Même si je jouais moins souvent, ça ne m'empêchait pas de donner des entrevues. Je continuais à être sollicité par les médias et ne refusais aucune demande des journalistes. J'étais quand même un peu mal à l'aise, parce que j'avais peur de prendre trop de place et que je sentais que ça pouvait être mal perçu par certains membres de l'organisation. Mais je me sentais tout aussi mal de refuser de parler aux médias. Ça faisait partie de ma job. Une fois, j'avais rendez-vous avec une équipe de tournage de Musique Plus et un membre du service des communications de l'équipe est venu me prévenir: «Tu en fais déjà beaucoup trop, il faudrait que tu ralentisses.» J'ai donc annulé ce tournage.

Je continuais à m'entraîner très fort dans mes temps libres. J'adorais notre gymnase. La salle était immense et les appareils à la fine pointe. Même le tapis était incroyable. Il était épais et moelleux, on aurait dit un tapis d'hôtel de luxe. Un matin, j'ai eu un choc en entrant dans la salle: il n'y avait plus de tapis. Il avait été remplacé par une surface en caoutchouc. Ça changeait complètement le cachet de l'endroit. J'ai demandé des explications au responsable du conditionnement physique. Il m'a dit que Ronald Corey, qui avait l'habitude d'y faire son vélo stationnaire tous les jours, avait fait enlever le tapis parce qu'il était asthmatique.

J'ai finalement touché mon premier chèque de paye à la fin d'octobre. On était payés aux deux semaines sur une période de six mois. J'ai pris l'enveloppe dans le pigeonnier, je l'ai ouverte et mon cœur s'est mis à battre très fort. Je me suis presque frotté les yeux pour m'assurer que je ne rêvais pas: c'était un chèque de 11 800 $! Je n'en revenais pas. Je suis rentré le pas léger et j'ai croisé Nancy devant notre hôtel. Je lui ai montré le chèque, tout excité. Vincent Damphousse, qui passait au même moment en auto, a klaxonné en souriant. Je ne lui ai jamais demandé s'il avait klaxonné parce qu'il m'avait vu en train d'exhiber mon chèque en pleine rue. C'était vraiment une drôle de scène.

À la même époque, un concessionnaire automobile de la région de Trois-Rivières m'a téléphoné pour m'offrir de conduire leur dernier modèle «sport utilitaire», un gros Ford Expedition. Il me prêtait un véhicule neuf simplement parce que je jouais pour le Canadien. C'était presque trop, mais je n'ai pas refusé.

Un matin, quelques semaines plus tard, j'arrive devant le pigeonnier pour récupérer mon salaire — j'étais toujours le premier au Centre Molson le jour de la paye parce que j'avais hâte de voir mon chèque. J'ouvre l'enveloppe, je prends le chèque : 50 000 $! Je me dis que ça ne se peut pas, qu'ils ont dû faire une erreur. Mais peut-être me devaient-ils encore des montants insoupçonnés, ou bien il s'agissait d'un quelconque boni que j'avais oublié. Il y avait tellement d'argent dans l'air que j'en perdais parfois tout sens de la mesure. J'ai téléphoné à Nancy pour lui annoncer la nouvelle, on s'est demandé ce qu'on ferait avec une telle somme, puis j'ai bondi sur la glace, tout joyeux. Je n'arrêtais pas de penser au chèque de 50 000 $, que j'avais distraitement remis dans mon casier. C'était la première fois de ma vie que je faisais autant d'argent.

Quand je suis rentré au vestiaire après l'entraînement, le défenseur Dave Manson hurlait dans la pièce : «*Where the fuck is my paycheck?*» Je n'ai pas fait le lien immédiatement. Je suis retourné au pigeonnier pour m'apercevoir qu'il y avait deux enveloppes dans mon casier. Un premier chèque de 50 000 $ au nom de Dave Manson et un second à mon nom, pour la somme de 11 800 $. Je m'étais trompé de casier en arrivant le matin. Piteux, je suis allé remettre le chèque à Manson.

Mon agent m'appelait de plus en plus souvent dans ce temps-là. Il voulait une avance sur le pourcentage que je lui devais à la fin de chaque année. Il me disait qu'il ne pouvait pas attendre son quatre pour cent. Je commençais à le trouver emmerdant. Il me laissait parfois des messages à l'hôtel à quatre heures du matin. J'entendais de drôles d'histoires sur son compte. Les gens de l'équipe me demandaient ce que je faisais avec lui. Je lui restais fidèle par loyauté. Je me serais senti coupable de le quitter une fois atteint mon objectif dans la Ligue nationale. Mais le vase commençait à déborder. Il me laissait des messages tous les jours pour que je le paye. Un matin, il est venu chez moi, à Trois-Rivières. Il voulait un prêt de 4 000 $ en argent comptant. Il insistait. Je suis allé avec lui à la banque, je lui ai fait un chèque qu'on a échangé ensemble et il est parti avec l'argent. J'allais avoir de mauvaises surprises ensuite, mais aussi me rendre compte que c'était la bonne façon de faire.

J'ai participé à quelques matchs au début du mois de novembre. Le premier, contre les Bruins de Boston, a été particulier parce que Pat Burns avait mis ma tête à prix. Il a envoyé Baumgartner contre moi et je me suis bien défendu. J'étais fier d'avoir tenu mon bout.

Contre les Islanders de New York, peu après, j'ai livré une furieuse bagarre à Gino Odjick, un combat particulièrement éprouvant. Je ne voyais plus clair en arrivant au banc des punitions. J'étais ébloui par mille et une couleurs, du bleu, du rouge, du jaune, du vert : je savais que ça n'allait pas du tout. Mais personne n'a jamais rien su, pas même Gino, mon bon vieux rival de l'époque junior qui, du banc voisin, me demandait comment ça allait. J'ai terminé mon match et ça s'est replacé, malgré une fracture du nez. Ce n'était pas une petite fracture du nez qui allait m'empêcher de continuer à jouer.

Entre-temps, j'avais emménagé dans un petit appartement loué au mois, rue Sherbrooke. Ce n'était pas encore la résidence permanente, mais il y avait de la place pour Nancy et Jeremy. Le directeur général Réjean Houle m'avait fait venir à son bureau après un entraînement pour me dire qu'il était fier de mon travail et que je pourrais bientôt m'établir à Montréal. Comme ça arrivait parfois, Jeremy m'accompagnait ce jour-là et j'ai quitté le Centre Molson en gambadant avec lui dans la rue. J'étais heureux comme un enfant, fier de partager mon bonheur avec mon fils.

En revanche, l'équipe n'allait pas très bien en ce début de saison 1998-99. Les joueurs tombaient comme des mouches et les défaites s'accumulaient. On sentait de plus en plus de pression de la part des journalistes et des partisans. Les sourires du début se transformaient en «gueules de bœufs». Je ne jouais pas très souvent, mais je m'accrochais. J'attendais seulement le moment où Réjean Houle me dirait de me trouver un domicile fixe. Ça signifierait que j'étais avec le club pour rester.

Les fans, eux, me faisaient vraiment sentir à ma place avec le Canadien. Ils m'avaient chaleureusement applaudi à la mi-novembre pendant un entraînement public dans le cadre de la journée *Ronald McDonald*. J'avais été touché par cette longue ovation, d'autant plus qu'on ne m'envoyait pas souvent sur la glace et que je n'étais pas un joueur offensif.

Cinq jours plus tard, je recevais un appel de Réjean Houle: «Écoute, *Moose*, tu n'as pas beaucoup patiné dernièrement, j'aimerais que tu ailles jouer un ou deux matchs à Fredericton...» Il y a eu un silence de 10 secondes. J'étais estomaqué. Le ciel venait de s'écrouler sur ma tête. En plus, l'Avalanche du Colorado et Patrick Roy étaient en ville, tout le monde ne parlait que de ça. Même si Réjean disait que c'était juste pour un ou deux matchs, c'était quand même la fin du monde pour moi. J'étais seul dans l'appartement et je pleurais comme un bébé. Je suis allé chercher mon sac de hockey au Centre Molson parce que je devais quitter Montréal le jour même. J'avais encore la larme à l'œil. J'ai fait ça vite car j'étais incapable de parler. J'avais un gros «motton» dans la gorge.

Je me suis retrouvé dans l'avion avec Sergei Zholtok, rétrogradé en même temps que moi. Il digérait la nouvelle encore plus mal. Il venait de passer les deux dernières saisons dans la Ligue nationale et commençait à avoir un certain succès. Mais il connaissait un début de saison difficile. On a jasé tout le long du vol. Sergei venait de Lettonie. Il m'a beaucoup parlé des joueurs de l'ancienne République soviétique, de leur façon de voir la vie et le sport en Amérique du Nord. J'aimais beaucoup sa personnalité. J'étais loin de me douter que, six ans plus tard, lui aussi allait mourir d'une crise cardiaque pendant un match, à 31 ans...

On allait rejoindre les Canadiens de Fredericton pour une rencontre à Portland, dans le Maine, puis on revenait avec eux à Montréal pour disputer un match au Centre Molson. Je trouvais ça cruel d'avoir à jouer une partie à Montréal, sur «ma» glace, avec un club de la Ligue américaine. Je vivais un cauchemar. Je m'étais habitué au rythme de vie trépidant de Montréal et du Canadien. Je ne connaissais que quelques gars à Fredericton. J'avais le moral à terre, mais je ne voulais pas arriver là-bas avec une mauvaise attitude. Je ne tenais surtout pas à ce que les gars pensent que j'allais jouer à la vedette montréalaise.

Quelques jours après mon renvoi dans les mineures, j'ai été frappé en plein cœur en lisant la chronique du légendaire Maurice Richard dans *La Presse*: «J'ai été bien étonné d'apprendre que Dave Morissette avait été le plus ovationné, dimanche, lors de la séance d'entraînement du Canadien devant quelque 20 000 jeunes, au Centre Molson. Je veux bien que ce gaillard soit affable et social, mais il ne jouait presque pas avant d'être rétrogradé aux Canadiens de Fredericton.» Je n'étais pas fâché, j'étais plutôt blessé de voir mon idole, l'idole d'un peuple, avoir cette opinion de moi. Ça a fait de la peine à mon père, aussi. J'étais toutefois conscient que mon ascension avait été un peu trop rapide depuis six mois.

J'ai eu un petit choc en arrivant à Fredericton pour le premier match à domicile avec mon nouveau club. L'aréna et le gymnase étaient antiques, et on gelait dans le vestiaire. Je me sentais bien loin du Centre Molson. Je me disais que c'était temporaire. J'ai eu une bonne discussion avec Michel Therrien. Il m'a remercié de m'être joint à l'équipe et m'a dit qu'il était fier du travail que j'avais accompli à Montréal. J'ai joué ce troisième match pour le club-école en me disant que c'était peut-être le dernier avant mon rappel à Montréal. Je me suis battu contre le dur à cuire de l'autre équipe, Rocky Thompson, un furieux combat.

Après la rencontre, Michel m'a dit que j'allais jouer de nouveau le lendemain. Je ne voulais pas paraître trop *down* devant lui, mais j'ai encaissé la nouvelle difficilement. J'allais jouer un quatrième match, alors que je devais en disputer un ou deux, et personne ne me tenait au courant de rien. Je ne comprenais pas ce qui se passait. Je ne voulais pas demeurer éternellement à l'hôtel, je voulais voir ma famille et en plus, j'avais un seul complet en ma possession, avec ma brosse à dents. J'avais tout de même acheté quelques sous-vêtements entre-temps...

J'avais un mauvais pressentiment et j'ai décidé d'aller rencontrer Michel à son bureau après une pratique, quelques jours plus tard. J'ai été droit au but : « Michel, je veux savoir ce qui se passe. J'étais supposé disputer un ou deux matchs et je suis rendu à quatre. Personne me dit rien, ça n'a pas d'allure. Je m'ennuie de ma famille. » Michel a été correct : « Écoute *Moose*, on va téléphoner à Réjean pour en savoir plus. » Il a pris le téléphone et il a composé devant moi. Il a demandé à Réjean ce qui allait se passer dans mon cas et a allumé le haut-parleur :

« Écoute *Moose*, ça fonctionne pas très bien pour nous en ce moment à Montréal, a répondu Réjean. Je dois régler les problèmes de points avec un "t" avant de régler les problèmes de poings avec un "g". Trouve-toi un appartement à Fredericton, fais venir ta femme et ton garçon, et continue ton bon travail là-bas. On va te rappeler si on peut mais pour l'instant, il y a d'autres recrues à qui on veut donner une chance. On a besoin de finesse dans notre formation. »

J'ai remercié Réjean et j'ai raccroché. Je ne me suis pas éternisé dans le bureau de Michel parce que je n'avais pas envie de pleurer devant lui. Les équipes en difficulté n'ont pas besoin de bagarreurs. Elles cherchent plutôt des solutions pour marquer des buts et relancer le club. Les durs à cuire sont plus utiles quand un club est compétitif, pour protéger les bons joueurs. C'est du moins comme ça que pensent les dirigeants de clubs.

Après avoir appelé Nancy pour lui annoncer la mauvaise nouvelle, je suis parti au centre commercial avec le soigneur Jacques Parent pour m'acheter des vêtements. J'ai ensuite pris l'avion en fin de soirée, la mort dans l'âme, pour ramener mon camion et mes affaires personnelles de Montréal à Fredericton. Huit heures de route, c'était quand même moins long que de me taper le trajet entre Trois-Rivières et Houston.

J'avais fait tous ces efforts pour retomber dans les mineures. Je m'entendais bien avec les gars, mais je ne voulais pas jouer dans la Ligue américaine, et encore moins vivre à Fredericton, loin de tout. Il n'y avait plus de fans à l'entrée de l'aréna, plus de journalistes à chaque pratique, plus de plats de fruits à manger avant les entraînements ; tout ce qu'il y avait, c'était du pain et du beurre de « pinottes », et c'est le soigneur qui fournissait le *toaster*…

Et puis il y a eu cet appel du concessionnaire automobile de Trois-Rivières. Il avait l'air un peu gêné au bout du fil : « Écoute, Dave, on est un peu mal pris, on aurait besoin du camion. » Il m'a cependant dit qu'ils ne me laisseraient pas les mains vides. Ils m'ont prêté une Escort. J'ai trouvé ça un peu *cheap*, mais ça faisait partie de la *game* : je ne lui assurais plus la même visibilité en roulant à Fredericton. J'en ris aujourd'hui mais sur le coup, je me sentais tout de même un peu « trou de cul ».

Il fallait aussi que je me trouve un logement. J'ai appris qu'il y avait une maison disponible dans le coin. Elle appartenait à un ancien joueur de l'organisation du Canadien, Yves Sarault, qui s'était retrouvé chez les Sénateurs d'Ottawa. Il y habitait l'été parce qu'il s'était marié avec une fille de Fredericton, mais il passait ses hivers à Ottawa. La maison était belle et spacieuse. Ma petite famille m'a rejoint peu de temps après. Mais Nancy n'aimait pas dormir seule et quand on partait en voyage, elle rentrait à Trois-Rivières, près de sa famille.

Il n'y avait pas grand-chose à faire à Fredericton. J'allais souvent à la pêche avec les coéquipiers. On jouait au Nintendo le soir. J'avais pris mon mal en patience. Je m'étais procuré un *mixer* et on achetait des fruits en gang pour se faire des jus super vitaminés. J'avais aussi apporté des protéines, de la glutamine et de la créatine de Montréal, c'était gratuit. Les *shakes* me permettaient de me nourrir le matin ; j'étais toujours incapable de déjeuner normalement à cause de mes brûlures d'estomac.

Il n'y avait pas beaucoup de monde dans les estrades pour nos matchs. La ville paraissait grise et ennuyante, même si les gens étaient chaleureux. Je retrouvais les interminables voyages en autobus. C'était pire encore, comme conditions de vie, que dans la Ligue internationale, surtout sans doute parce que j'avais goûté à mieux. J'avais 27 ans, je venais de vivre mon rêve avec le Canadien et je devais retourner coucher sous les bancs d'autobus comme dans la *East Coast*.

Au moins, on avait des pilules pour dormir quand on en demandait. On mangeait dans les *snack-bars* au bord de la route et les moments forts du voyage se résumaient à jouer aux cartes et aller acheter de l'alcool hors-taxes avant de traverser les douanes. Je me rendais compte que, pour un hockeyeur professionnel, il valait mieux jouer dans la LNH. J'attendais chaque jour mon rappel à Montréal.

Michel Therrien, qui allait diriger le Canadien de Montréal deux ans plus tard, était très contesté. Un vent de rébellion soufflait au sein de l'équipe. Les gars remettaient sa compétence en question, ils n'aimaient pas ses manières. Michel pouvait être très dur. Certains joueurs quittaient son bureau en pleurant. Il avait un tempérament bouillant, c'était sa nature. Mais moi, j'avais vécu bien pire avec John Brophy dans la *East Coast*. En fait, j'étais assez proche de Michel et lui donnais le pouls de l'équipe. Il m'écoutait. J'appréciais sa loyauté. Même quand ça allait mal à Montréal, il ne disait jamais un mot contre Réjean Houle ou l'organisation.

Les semaines, les mois ont passé. Toujours pas de nouvelles du Canadien. Puis, en février, le lendemain d'un match, Michel Therrien est venu me voir pour me dire que j'avais été rappelé à Montréal. Malheureusement, j'avais de la difficulté à marcher. La veille, en jouant, je m'étais tordu le genou, qui était toujours fragile. Je me suis pris la tête à deux mains, j'avais envie de hurler de rage dans le vestiaire. Ils ont essayé de joindre Terry Ryan pour y aller à ma place, mais Terry avait fêté un peu fort la veille et était introuvable. Ils ont finalement envoyé Sylvain Blouin.

Terry Ryan est l'exemple parfait du jeune joueur de talent qui a gagné trop d'argent trop vite. Il avait été choisi en première ronde du repêchage de 1995, huitième au total, devant des joueurs comme Kyle McLaren et Jarome Iginla, de futures vedettes dans la LNH. Mais Terry n'a pas réussi à jouer plus de huit matchs dans la Ligue nationale. Il avait signé un contrat de plusieurs millions avant même de donner son premier coup de patin avec le Canadien — le système est ainsi fait — et il était entouré de parasites qui avaient une très mauvaise influence sur lui. Il entrait dans un bar et pouvait commander 40 *shooters* de vodka-canneberge pour sa gang. Aucun de ses amis n'avait la sagesse de lui dire de se modérer. Ils l'encourageaient plutôt à s'envoyer en l'air et profitaient de sa fortune.

Il ne subissait pas la pression de réussir parce qu'il était déjà millionnaire à 19 ans. Les premiers choix du Canadien qui se retrouvaient à Fredericton avaient tous des voitures de luxe. Et ils étaient généralement les premiers rappelés à Montréal parce que le club avait investi beaucoup d'argent dans leur contrat et tenait à leur donner toutes les chances de réussir. Le premier choix de 1996, Matt Higgins, était souvent appelé en renfort par le Canadien, même s'il ne jouait qu'au sein du troisième trio, derrière Marc Beaucage et Éric Houde. Higgins était déjà riche à craquer, lui aussi. Malgré tout, il n'y avait aucune jalousie dans le vestiaire à propos des salaires des gars. On ne parlait jamais d'argent, ni à Fredericton ni à Montréal.

Mon séjour à Fredericton m'a permis d'en apprendre davantage sur mon agent. Il représentait deux autres joueurs de l'équipe, Samy Nasreddine et Francis Bouillon. Samy se plaignait de ne pas avoir reçu son remboursement d'impôt (pour travail à l'étranger) de la saison précédente. Mon agent faisait le même truc avec tous ses joueurs. Il leur disait qu'il récoltait sa commission à même le remboursement d'impôt des gars. Il se faisait envoyer les chèques à son adresse et à son propre nom, et il encaissait directement l'argent. On lui faisait confiance et on ne vérifiait rien. Une fois, quand j'étais à Houston, j'avais rempli moi-même le formulaire. Mon remboursement s'élevait à environ 3 500 $, alors que je devais 2 000 $ à mon agent. Mais je n'avais rien dit quand il avait empoché l'argent. Je pensais que je m'étais sans doute trompé. Et j'étais bien satisfait de mon salaire, dans l'ensemble.

À force de se raconter nos expériences communes avec mon agent, on s'est mis à flairer l'arnaque. Francis lui avait déjà fait deux chèques postdatés et mon agent avait changé les dates pour les encaisser plus rapidement. Ce qui me préoccupait beaucoup, c'est qu'il plaçait l'argent des gars à la bourse. Un jeune joueur de l'organisation des Blackhawks m'a confié un jour qu'il n'avait jamais vu 25 000 $ des 50 000 $ de bonis que l'équipe lui avait accordés. Mon agent s'était arrangé pour que les chèques soient expédiés chez lui et les avait endossés à sa place. Il avait ensuite affirmé à Jason qu'il avait placé un bon montant à la bourse.

La saison suivante, j'ai reçu une lettre de la cour me réclamant 4 000 $. Mon agent avait mis le nom de ses joueurs en caution pour un emprunt à la banque, prétextant qu'on ne l'avait pas payé. J'avais pourtant réglé mes comptes avec lui et j'avais pour preuve le chèque que j'avais fait sous ses yeux l'année précédente dans une banque de Trois-Rivières. J'ai finalement eu gain de cause devant le tribunal. Heureusement, j'avais eu la présence d'esprit de ne pas le payer en argent liquide ce jour-là. Je n'aurais eu aucune preuve de ma bonne foi. Certains ont été pris à ce jeu et ont perdu d'importantes sommes. Mon agent a depuis été radié du cercle des agents de joueurs. On était jeunes, on ne savait pas trop comment ça fonctionnait, dans le milieu, ni comment gérer tout cet argent. On lui faisait confiance, on était bien naïfs. Après avoir quitté mon agent, je me suis tourné vers Paul Corbeil, un nouvel agent de Trois-Rivières qui faisait ses premières armes dans le sport professionnel.

Cet hiver-là, j'ai souffert plus que jamais de symptômes liés aux commotions cérébrales. C'était devenu un enfer. Environ une fois sur deux, j'avais un *black-out* après une mise en échec, ce qui veut dire que je perdais conscience à presque tous les matchs. Je n'avais même plus besoin de recevoir un coup de poing pour être sonné. Quand je frappais mon casque sur celui d'un adversaire, il m'arrivait de voir tout noir pendant quelques secondes. Je perdais le contact momentanément. Tout devenait embrouillé, puis je voyais plein de couleurs.

Je n'avais plus envie de me battre, mais je n'avais pas le choix si je voulais rentrer à Montréal. J'y allais à fond quand même. J'étais habitué de vivre avec mes commotions cérébrales. J'avais un truc infaillible pour que ça ne paraisse pas. Quand j'étais «gelé» comme ça, je mettais un genou sur la glace et je prenais mon temps pour me relever afin de m'assurer de bien voir où se trouvait notre banc. Ce qui m'aidait, surtout, c'est que j'arrivais à rester calme, alors que d'autres joueurs tentent de se relever trop vite; ils trébuchent ou, confus, se rendent au banc des joueurs de l'autre équipe. En outre, je ne laissais jamais le temps au soigneur de venir me secourir sur la patinoire.

Mes petites commotions courantes étaient le résultat des 15 ou 16 grosses commotions que j'avais subies au cours de ma carrière. Mon style de combat ne m'aidait pas, non plus. Je me battais de façon très ouverte, sans posture défensive. J'en ai reçu, des coups de poing sur les tempes. Le temps commençait à me rattraper. Je me sentais de plus en plus usé. Le soigneur commençait sûrement à se douter de quelque chose. Mais que pouvait-il faire si je n'avouais rien? Il venait me voir sur le banc pour s'assurer que j'étais correct et je lui disais que j'avais perdu le souffle. Vers la fin, il se contentait de dire, un sourire en coin: « T'as perdu le souffle, c'est ça? » Je pouvais avoir mal à la tête et les yeux vitreux, ne pas me sentir bien et être au ralenti toute la soirée et même le lendemain après certains matchs. Mais je ne pouvais pas me permettre de dévoiler mes commotions cérébrales. Quelle équipe veut offrir un contrat à un *tough* déjà trop sonné par les coups? Je prenais des aspirines et je me fermais la gueule.

Vers la fin de la saison, le tout dernier jour de mars, alors qu'on se trouvait dans l'autobus d'équipe à Providence, Michel Therrien a refermé son cellulaire et m'a fait signe de m'approcher de lui, à l'avant du véhicule, pour me dire: « *Moose*, t'es rappelé à Montréal! »

Je me sentais renaître. J'attendais ce moment depuis quatre longs mois. Il restait seulement une ou deux semaines à la saison régulière et le Canadien était presque éliminé à l'avance des séries, mais j'étais trop heureux de retourner vivre mon rêve. Financièrement, ce rappel n'était pas à dédaigner non plus: j'allais toucher 5 000 $ de plus par semaine.

J'avais été rappelé avec Jean-François Jomphe, acquis par le Canadien une semaine plus tôt. On nous avait placés dans la même chambre pour la nuit avant notre vol, à l'aube, en direction de Montréal. J'étais fébrile comme jamais. Jean-François savait que j'étais un gros ronfleur. Il avait pris deux somnifères et il s'était mis des bouchons dans les oreilles. Les rôles ont été inversés cette nuit-là: je l'ai passée couché par terre, dans la salle de bains, pour ne pas l'entendre ronfler. Ajoutez à cela la nervosité, je n'ai presque pas dormi. On est arrivés tôt au Centre Molson et j'étais déjà épuisé au moment de rencontrer les journalistes. J'ai remarqué que l'ambiance avait changé dans le vestiaire. La saison avait été difficile, marquée par de nombreuses blessures graves, et les gars étaient démoralisés. Ils m'ont bien accueilli quand même.

J'ai peu joué ce soir-là contre les Bruins. J'allais me rattraper à la rencontre suivante contre les Sabres et Rob Ray. J'ai invité Ray au combat en début de match mais il a refusé. Plus tard, alors que son équipe tirait de l'arrière, il est venu me provoquer pour réveiller son club. On a livré un bon combat et ça m'a aidé à faire oublier l'échec de mon premier affrontement contre lui.

Le lendemain matin, je me suis réveillé avec un gros mal de gorge. J'ai croisé Jean-François Jomphe dans le hall de l'hôtel et il n'avait pas l'air de « filer », lui non plus. Il m'a appris que Réjean Houle venait de le renvoyer dans les mineures et que j'étais sans doute le suivant. Je n'ai pas perdu de temps. En arrivant à l'aréna, je me suis fait examiner la gorge par Gaétan Lefebvre qui a diagnostiqué une amygdalite. Il m'a mis au repos pendant trois jours. J'allais ainsi rester à Montréal plus longtemps, parce qu'un club ne peut renvoyer un joueur dans les mineures si celui-ci est hors jeu pour une blessure ou une maladie. J'aurais pu disputer un match en dépit de ce mal de gorge, mais comme un renvoi m'attendait sûrement si je jouais, j'ai préféré rester à Montréal, au repos, trois jours de plus.

J'ai finalement été renvoyé à Fredericton quelques jours plus tard. Le Canadien était éliminé et l'équipe de Michel Therrien amorçait les séries éliminatoires dans la Ligue américaine. Le club était jeune mais talentueux. José Théodore, n'ayant pas terminé la saison à Montréal, était le gardien partant ; Mike Ribeiro et Éric Chouinard avaient été rappelés de leur club junior.

J'ai conservé de bons souvenirs de cette série. Je louais toujours la grande maison d'Yves Sarault — sans ma petite famille, restée au Québec — et les jeunes, Nasreddine, Ribeiro et Chouinard, habitaient avec moi parce que Michel Therrien m'avait demandé de m'occuper d'eux. Je faisais des grosses bouffes pour tout le monde et on allait à la pêche entre les matchs. Jacques Parent, le soigneur, nous apprenait à fabriquer du vin. On faisait des dégustations avec lui.

J'étais impressionné par Ribeiro malgré son jeune âge. Il avait du talent et je trouvais qu'il avait du *guts*. J'étais souvent obligé de me battre à cause de lui parce qu'il provoquait l'adversaire. Une fois, il a cassé le poignet d'un joueur des Bruins de Providence en lui assénant un coup de bâton. Je suis allé voir les gars de l'autre équipe pour leur dire qu'ils auraient affaire à moi s'ils s'en prenaient à Mike. Ça me faisait plaisir de le défendre. Il venait d'une famille pas très riche et se battait avec cœur pour faire ses preuves. On voyait qu'il n'était pas venu ici en vacances.

Jason Ward avait aussi été rappelé de son club junior et avait demandé bien innocemment à Michel Therrien s'il pouvait emmener sa blonde. Les gars avaient mal réagi. C'était une claque dans la face pour eux : les séries éliminatoires, c'est la guerre, pas la colonie de vacances. Mais Jason était jeune et ne pouvait pas savoir. Pour s'amuser, et aussi se venger un peu, des coéquipiers lui ont volé son portefeuille avec toutes ses cartes de crédit et son argent. Après trois jours, il capotait tellement qu'on lui a tout rendu. On a découvert par la suite qu'il était un super bon gars. J'ai pu lui expliquer notre réaction. Il a fait oublier cet épisode par son acharnement sur la glace.

On n'avait pas un grand club, mais une bonne petite équipe. Durant notre série contre St. John's, Michel Therrien s'est fait attaquer à sa sortie d'un bar par un joueur de l'équipe adverse, Larry Bohonos. Le lendemain, Michel s'est servi de l'incident comme élément rassembleur pour mobiliser les gars.

On pensait faire une ronde ou deux, pas plus. On était tellement sûrs de ne pas pouvoir nous rendre très loin en séries, ce printemps-là, que certains joueurs avaient déjà acheté leurs billets d'avion pour le Sud. On a atteint la demi-finale grâce aux prouesses de José Théodor, et certains gars ont failli annuler leurs projets de vacances. Ils ont finalement pu partir comme prévu… deux jours après notre élimination.

Chapitre 10

MA DESCENTE AUX ENFERS

Vers la fin de la saison 1998-99, à Fredericton, on savait que l'équipe avait de fortes chances de déménager à Québec l'année suivante. C'était une excellente nouvelle pour la majorité des joueurs de l'équipe, qui étaient presque tous Québécois. Advenant le pire des scénarios, celui où je restais avec le club, j'étais donc assuré de jouer dans ma province. Mon contrat tirait à sa fin, mais Michel Therrien m'avait confié que le Canadien était intéressé à me faire une nouvelle offre.

Effectivement, j'ai signé un contrat d'un an avec le Canadien, assorti d'une option pour une année supplémentaire qui allait me lier aux Citadelles de Québec, le club-école ayant entre-temps changé de nom et de ville. Mon salaire dans les mineures allait passer de 60 000 $ à 125 000 $, en plus des bonis. J'étais confiant de pouvoir jouer à Montréal la saison suivante parce que le Canadien ne comptait aucun véritable dur à cuire dans ses rangs et que j'avais fait mes preuves à ce titre. J'avais aussi accompli de la bonne besogne à Fredericton. Je m'étais battu contre tous les *toughs* des autres clubs, je ne mettais jamais l'équipe dans l'embarras et j'avais un rôle de mentor auprès des jeunes de la formation. Je montais au front chaque soir de match. Michel Therrien me disait que la direction du club était très satisfaite de mon boulot.

Je n'avais pas encore de contrat garanti dans la Ligue nationale, mais pour la première fois de ma carrière, on m'avait offert un contrat de plus d'un an. Je me sentais vraiment intégré aux plans du Canadien, d'autant plus qu'on m'avait demandé de participer cet été-là à la tournée de balle-molle du club. Les gars étaient tous très gentils avec moi et je me sentais vraiment « dans la gang », même si je n'avais pas passé l'hiver à Montréal. Dans ma tête, c'est moi qui ferais la job à Montréal en 1999-2000.

Lors d'une visite à Trois-Rivières, Scott Thornton est venu prendre un verre avec moi au bar d'un de mes *chums*. Il y avait un ring de boxe au sous-sol et on a commencé à se battre pour s'amuser. Quand on a levé les yeux quelques instants plus tard, il y avait une centaine de curieux tout autour du ring qui nous regardaient avec beaucoup d'intérêt. C'était le *fun*, comme un vrai combat de boxe.

Je gardais confiance même si le Canadien avait mis la main sur un autre *tough*. Embauché à la fin juin, Jim Cummins n'était pas un poids lourd, selon moi, et j'avais dit à qui voulait l'entendre que j'allais l'affronter pendant le camp d'entraînement, comme je l'avais fait avec Brad Brown l'année précédente. Cummins vieillissait. Ce n'était pas un mauvais joueur de hockey, mais j'étais convaincu qu'il n'allait pas faire la job aussi bien que moi. Je me disais aussi qu'au besoin, on pourrait toujours faire le travail à deux. Cependant, un nouveau règlement de la LNH adopté cet été-là allait réduire les formations de 24 à 23 joueurs, ce qui éliminait pratiquement cette possibilité.

J'affichais beaucoup d'assurance mais intérieurement, j'étais froissé par l'arrivée de Cummins. Malgré tout, je ne voulais pas critiquer les décisions de Réjean Houle, pas plus que mes renvois dans les mineures. Quand on a le privilège de jouer pour le Canadien de Montréal, on doit être un parfait gentleman. Je ne voulais pas de tache à mon dossier. Le Canadien m'avait donné ma première chance dans la LNH. Le club me traitait bien et je n'étais tout de même pas Wayne Gretzky. Je ne faisais pas partie de la catégorie des joueurs indispensables à une équipe.

Cet été-là, j'ai commencé à faire de la télévision à Montréal grâce à Sébastien Benoît qui animait alors *Tam-Tam*, une émission quotidienne de variétés à Radio-Canada. Sébastien m'avait confié une chronique hebdomadaire assez humoristique. J'avais déjà goûté à l'univers de la télé québécoise en participant à quelques émissions de *Flash*, à TQS, ainsi qu'au *Bonheur est dans la télé*, à l'invitation de Stéphane Laporte. Ça ajoutait des cordes à mon arc pour une seconde carrière, malgré les exigences de ce genre de travail. Pour *Le Bonheur est dans la télé*, le tournage d'une scène avait pris toute la journée. Je ne pensais pas que les gens de la télévision travaillaient aussi dur.

En revanche, j'adorais ce métier car ça me permettait de sortir du milieu sportif. Depuis mon enfance, je n'avais vécu que pour le hockey. Je voyais maintenant une autre facette de la vie. J'étais impressionné de rencontrer tous ces gens du show-business. Un gars comme «Boule Noire» me reconnaissait et savait que je jouais pour le Canadien. «Boule Noire», c'était une grande vedette quand j'étais jeune, à Baie-Comeau. C'était *tripant*.

Une partie du camp d'entraînement allait se tenir à Banff, dans l'Ouest canadien, cette année-là. Avant le camp, on a été convoqués au tournoi de golf annuel du Canadien. À la fin de la journée, je me suis retrouvé par hasard dans l'auto de Réjean Houle. Je ne suis pas particulièrement gêné et lui ai posé directement la question :

«Pis, monsieur Houle, est-ce que j'ai des chances de rester avec l'équipe ?

— Premièrement, appelle-moi pas monsieur Houle.

— D'accord Réjean, est-ce que j'ai des chances de faire le club ?»

Il a hésité.

— Ça dépend d'une série de facteurs...

— C'est le maudit nouveau règlement qui permet aux équipes de garder seulement 23 joueurs au lieu de 24 qui me fait mal, pas vrai ?

— C'est ça.»

Le camp n'était même pas commencé que mes espoirs de rester avec l'équipe avaient disparu. J'étais quand même résolu à me battre avec Cummins pour montrer à tout le monde qui était le plus *tough* de nous deux. Je disais aux *boys* : «Je sais que Cummins est un vétéran. Je veux pas que vous m'en vouliez, mais je suis ici pour faire une job et c'est sûr que je vais le pogner.»

Dès la première journée du camp, je lui ai serré la main et il a été chaleureux. Il m'a dit qu'il était content que je sois là, qu'il avait entendu parler de moi et qu'on allait faire la job à deux. Mais ça ne changeait rien à mes plans. Je ne voulais pas être le «trou de cul» avec un contrat pas garanti qu'on renverrait aussi facilement dans les mineures.

J'ai jamais eu l'occasion de mettre la main au collet de Cummins. Lors du premier entraînement, au Centre Molson, Alain Vigneault m'a pris à l'écart en me mettant la main sur l'épaule: «*Moose*, j'ai entendu dire que tu voulais te battre avec Cummins. Je veux pas que tu le pognes. Tu vas disputer des matchs préparatoires dans l'Ouest avec nous; il y a des équipes *toughs* de l'autre bord, on ne sait pas ce qui peut arriver. Je veux tous mes gars en forme. Tu iras te battre contre les autres équipes.» Quand Alain me parlait, j'écoutais. Il était celui qui m'avait permis de jouer plusieurs parties avec le Canadien et j'avais beaucoup de respect pour lui. Il avait pris la peine de venir me voir pour m'en parler, je ne pouvais pas ignorer ses ordres.

J'ai eu au moins une occasion de me battre avec Cummins pendant des matchs simulés. J'étais derrière le but et il m'a donné une petite mise en échec contrôlée, sans trop forcer la note. Il savait sans doute que je pouvais exploser à la moindre provocation. J'aurais pu me servir de ce prétexte pour le pousser et ainsi l'inviter au combat, mais j'ai pensé aux instructions de mon *coach* et me suis retenu.

Une fois dans l'Ouest, j'ai disputé le premier match contre Edmonton, mais je savais que je ne figurais pas dans les visées du club. J'avais l'impression d'avoir été amené là-bas pour faire la job de bras — ça brasse toujours plus pendant le camp d'entraînement — et permettre à Cummins de se ménager, puis qu'on allait ensuite me renvoyer dans les mineures. J'ai eu à affronter le gros George Laraque et le combat ne s'est pas très bien déroulé. J'avais subi une bonne coupure au cuir chevelu et je m'étais fait mal à l'épaule au cours de ce même match. Je n'ai pas pris part aux deux rencontres suivantes, à Calgary et Vancouver. Comme je m'y attendais, à notre retour de l'Ouest le 19 septembre, j'ai appris qu'on me cédait aux Citadelles de Québec en compagnie de Mathieu Garon, Andrei Bashkirov et Darcy Harris.

Quand je suis arrivé à Québec, je me sentais comme un lion en cage. Je me disais que Cummins n'allait pas faire la job à

Montréal — parce qu'il n'était pas du genre à se battre à chaque match — et que le club serait obligé de me rappeler. Il y avait plus de 10 000 spectateurs dans les estrades du Colisée à notre première rencontre et j'étais super motivé. Les premiers matchs se sont bien passés. Je frappais, je me battais et je trouvais que ce n'était tout de même pas un vilain endroit pour jouer, Québec. C'était pour moi la plus belle ville au monde et j'y étais né, en plus. L'organisation, avec son propriétaire Maurice Tanguay et son directeur général Raymond Bolduc, était extraordinaire. On nous traitait comme des joueurs de la Ligue nationale.

Quelques rencontres plus tard, une mêlée a éclaté contre l'équipe de St. John's. J'étais pris au cœur de l'escarmouche lorsqu'un adversaire, Matt O'Dette, m'a asséné un coup de poing par-derrière. Je ne l'ai jamais vu venir et le coup m'a fait mal. J'étais vraiment assommé. Je voulais me relever comme je le faisais d'habitude, mais j'en étais incapable. Le soigneur était au-dessus de moi, le médecin aussi, ils me posaient des questions auxquelles je ne parvenais pas à répondre. Je ne me souviens plus trop de ce qui s'est passé, mais ils m'ont dit que je n'avais pas donné les bonnes réponses. Le médecin a déclaré: «C'est assez, t'as pas le choix, tu dois quitter le match.» Je n'avais pas réussi à éviter le diagnostic de commotion cérébrale. C'était une mauvaise nouvelle parce que le Canadien allait être moins intéressé à me rappeler et deuxièmement, j'aurais une note négative dans mon dossier d'assurances personnelles. Mes assureurs seraient sans doute plus réticents à me couvrir au renouvellement de ma police.

J'ai été forcé de rater quelques matchs. Trois semaines plus tard, le 24 octobre, une autre blessure, nettement plus grave, allait m'écarter de nouveau du jeu. J'ai tenté de mettre en échec un adversaire, Chris Hajt, et sous la force de l'impact, ma clavicule a décroché de mon épaule. Je suis rentré au banc en grimaçant de douleur. J'essayais de soulever mon bras, mais il n'y avait plus rien pour le soutenir. C'était pire que ma blessure au muscle pectoral. Je suis tombé par terre dans le corridor menant au vestiaire, tellement ça faisait mal. Le médecin m'a dit que je souffrais d'une grave séparation de l'épaule et que j'allais manquer au moins deux mois d'activité. Ce n'était pas comme une douleur au genou ou une commotion cérébrale, des blessures que je pouvais tolérer : j'étais obligé de me retirer pour huit semaines de jeu. J'étais déçu parce que je commençais à me plaire à Québec. Et j'étais vraiment *down* parce que j'avais l'impression de laisser tomber mes patrons : la direction du club m'avait fait une place de choix dans sa publicité aux quatre coins de la ville.

Les Citadelles avaient au moins un autre joueur qui pouvait faire le travail de dur à cuire en mon absence. C'était un jeune colosse fougueux que je ne veux pas nommer pour ne pas nuire à sa carrière — il a déjà assez de troubles comme ça —, mais en qui je me revoyais à l'âge de 20 ans. Il consommait des stéroïdes comme je l'avais fait — c'était assez évident — et personne ne lui faisait peur. J'ai connu plusieurs faux *toughs* mais lui, ce n'était vraiment pas son cas. Ça me faisait réfléchir de voir un jeune qui avait suivi un parcours identique au mien, mais pas assez pour me faire abandonner les stéroïdes et les stimulants. Il voulait tellement bien faire qu'il prenait même des Ripped Fuel avant les entraînements. Il fallait qu'il livre la marchandise et il rêvait d'être rappelé par le Canadien, lui aussi. Je me disais qu'il faisait ce qu'il avait à faire. C'était quelque chose de normal pour moi, mais je lui ai néanmoins conseillé d'en utiliser plus modérément. Des Ripped Fuel avant chaque pratique, c'est exagéré. Quand tu en prends une, tu veux en prendre deux ; quand tu en prends deux, tu veux en prendre trois, ça ne finit plus. Il était devenu un peu comme mon protégé, mon poulain. Malheureusement pour lui, il a été renvoyé dans la *East Coast* à la mi-saison.

Après une longue période de réadaptation, je suis finalement revenu au jeu fin décembre… pour me blesser une autre fois début janvier. Je m'étais battu contre Matt O'Dette, le même qui m'avait administré un coup sournois en début de saison, et il m'avait accroché l'œil avec son pouce au cours de ce combat que j'avais gagné haut la main. Je me suis mouché en retournant au banc après ma punition et l'œil est sorti de son orbite ! C'était une blessure vraiment écœurante. Je capotais. Il a fallu que je pousse sur mon œil pour le remettre en place. J'ai passé la nuit à l'urgence, à St. John's. La pression dans mes sinus avait fait en sorte que l'œil m'était sorti de la tête ! Je m'en suis quand même remis assez rapidement, mais j'ai été contraint de jouer avec une visière pendant trois semaines après mon retour.

Il y a eu d'autres mouvements de rébellion contre Michel Therrien au cours de l'hiver. J'étais dans une position difficile parce que j'étais l'un des joueurs les plus vieux du club et que les gars venaient se confier à moi. Je savais très bien ce qui se tramait. Ce qu'ils me disaient à propos de notre *coach* n'était pas très joli. D'un autre côté, Michel était celui qui m'avait emmené dans l'organisation du Canadien et il avait toujours été correct avec moi.

À un moment donné, l'équipe n'arrêtait plus de perdre. Michel nous avait demandé d'organiser un *meeting* entre nous pour mettre les choses au point. Il était loin de se douter que ça allait se transformer en procès contre lui. Un à un, les gars ont commencé à déblatérer sur son compte. Ce n'était pas la première fois que les gars se vidaient le cœur. Je savais que ça c'était passé de la même façon l'année précédente à Fredericton avant qu'on arrive, Sergei Zholtok et moi. Ça s'était calmé par la suite, mais voilà que la mutinerie reprenait de plus belle.

Pierre Sévigny et moi, on a dit aux gars que ça ne se faisait pas, dans les mineures, de réclamer la tête du *coach*. J'ai répété à mes coéquipiers que ce n'était pas Michel, le vrai problème, et qu'il fallait trouver une autre solution pour s'en sortir. Francis Bouillon, Sylvain Blouin et Alain Nasreddine, le frère de Samy, ont pris sa défense, eux aussi. La réunion s'est terminée sans qu'on soit plus avancé. Les gars étaient encore en maudit contre leur entraîneur. Il y en a qui ne digéraient pas sa façon de traiter certains coéquipiers, d'autres trouvaient qu'il n'était pas un bon *coach*, tout simplement. Michel m'a fait venir à son bureau et m'a demandé ce qui s'était passé. Je lui ai dit : « Écoute, Mike, il y a des gars qui sont pas contents. Ils capotent un peu, ils trouvent que t'es trop *rough*. » C'en est resté là.

Plus tard, j'ai reçu un appel de Pierre Sévigny. Il m'a dit qu'une rencontre avait été prévue au restaurant avec le directeur général de l'équipe, Raymond Bolduc, et qu'il fallait lui dire ce qui se passait avec Michel. J'ai décidé d'y aller. Ça allait être la pire gaffe de ma carrière. Michel n'était pas un entraîneur très populaire, mais il avait toujours été honnête avec moi. Malgré ses travers, c'était un homme loyal. Il me faisait confiance et je lui avais parlé l'après-midi même, en plus. Raymond Bolduc a écouté les plaintes de chacun et a répondu qu'il ne pouvait rien faire, que son *coach* était sous contrat.

Quand j'ai quitté le restaurant, un profond malaise m'a envahi. Je me suis dit que je n'aurais jamais dû assister à cette réunion-là, que j'aurais dû dire non aux gars, ou à tout le moins prévenir Michel de ce qui se préparait. En soirée, il m'a téléphoné. Il m'a dit qu'il venait de recevoir un appel de Raymond Bolduc à propos de la rencontre :

« Vous vous êtes rencontrés, les gars qui veulent me mettre dehors.

— Mike, il y a personne qui va te mettre dehors. Les gars ont juste répété ce qui s'était dit cet après-midi dans le vestiaire. »

Il y a eu un silence au bout du fil.

« Je peux pas croire que t'es allé au *meeting*. »

J'ai senti sa voix changer. Le lien de confiance entre lui et moi venait de se briser. J'avais 20 gars d'un côté et un entraîneur qui m'était sympathique de l'autre. Je me sentais coincé. Au bout du compte, je n'aurais jamais dû aller au restaurant ce soir-là. J'ai trahi un *coach* qui avait confiance en moi.

Peu après cet épisode, en écoutant la radio un après-midi de février, j'ai appris que le Canadien était sur le point de me rappeler à Montréal. Je n'ai donc pas été étonné de l'entendre confirmer par la bouche de Michel Therrien en fin de journée. Michel a été correct malgré ce qui s'était passé. Il ne m'a presque pas fait jouer en soirée pour éviter que je me blesse la veille de mon départ.

J'ai pris l'avion le lendemain matin à six heures en direction d'Atlanta, où le Canadien affrontait les Thrashers. J'ai joué à peine plus de trois minutes dans la partie, mais j'ai eu le temps de me battre contre le plus gros joueur des Thrashers, Matt Johnson, un bon combat. J'aurais pu me battre contre son partenaire de trio Denny Lambert, un autre dur à cuire, mais je voulais avoir le plus *tough* de l'équipe adverse. Je voulais montrer à mes coéquipiers que je ne permettrais à personne de brasser nos joueurs, et que j'étais avec le club pour y rester. Si j'avais affronté Lambert, Johnson aurait pu continuer à faire la loi pendant le match et c'est ce que je voulais empêcher.

Je suis rentré à Montréal avec l'équipe après la rencontre. J'étais bien content de me retrouver dans l'entourage du

Canadien cette semaine-là. Non seulement parce que j'étais revenu dans la LNH, mais aussi parce qu'il y avait un entraînement public prévu à l'horaire quelques jours plus tard, un dimanche après-midi, devant 20 000 jeunes. J'avais adoré mon expérience l'année précédente et j'avais hâte d'y participer de nouveau.

Le lendemain de mon retour d'Atlanta, la direction de l'équipe m'a cependant rétrogradé «techniquement» dans les mineures. On me rayait de la formation de 23 joueurs pour faire place au défenseur Barry Richter, mais on me gardait à Montréal encore un jour ou deux. J'ai donc été mis de côté pour le match du samedi soir que j'ai regardé à la télévision dans le gymnase, tout en m'entraînant.

Après la partie, un préposé à l'équipement m'a dit que je serais probablement renvoyé à Québec dans les prochaines heures. Je m'en doutais bien parce que le Canadien était en congé de jeu pour quelques jours et que les Citadelles allaient disputer une rencontre le lendemain soir contre l'une des formations les plus rudes de la Ligue américaine. Je n'avais vraiment pas envie de partir, surtout pas à la veille de l'entraînement public. J'ai quitté le Centre Molson précipitamment, avant que quiconque puisse confirmer mon renvoi à Québec. Une fois à l'extérieur, je me suis rendu compte que j'avais oublié quelque chose dans le vestiaire.

Je suis rentré à l'intérieur et, à la porte du vestiaire, j'ai croisé Alain Vigneault en compagnie de Réjean Houle. Je m'en voulais d'être revenu parce qu'ils allaient sûrement me dire de partir avant la pratique du lendemain. Alain a fait le saut en me voyant. Il s'est immédiatement retourné vers Houle: «Réjean, on a oublié de renvoyer *Moose* à Québec!» Il m'a regardé et m'a dit de retourner à Québec. Je lui ai répondu: «Écoute, Alain, il est tard, laisse-moi au moins participer à la pratique et je partirai ensuite.» Alain a accepté. Ça me permettait de prolonger un peu mon bonheur.

Ça a été un autre entraînement public fantastique, malgré les huées nourries du public à l'endroit de Vladimir Malakhov qui ont terni la séance. Le défenseur étoile du Canadien avait été aperçu avec son fils dans un centre de ski, alors qu'il était censé se remettre d'une blessure au genou subie peu de temps auparavant. La foule ne s'était pas gênée pour manifester son mécontentement et Malakhov avait les yeux pleins d'eau après la pratique. Sa femme et son garçon étaient dans les gradins, en plus. Les gars étaient un peu secoués et l'avaient soutenu, même si Vladimir avait une personnalité bien particulière. Je ne pouvais pas m'en douter à ce moment-là, mais cette permission spéciale d'Alain Vigneault allait être ma dernière sortie publique dans l'uniforme du Canadien…

Je suis finalement retourné à Québec le lendemain. Je me faisais de moins en moins d'illusions. Le Canadien vivait une saison difficile — malgré une courte série de succès dans les derniers jours — et ça n'était vraiment pas une bonne nouvelle pour moi, étant donné mon rôle. Je connaissais leur philosophie, il fallait qu'ils rappellent leurs premiers choix au repêchage afin de relancer le club, pas un dur à cuire dans mon genre. Moi, je me disais plutôt que c'était une chaîne, que leurs marqueurs auraient peut-être débloqué s'ils avaient eu un *tough* pour les protéger.

Le reste de la saison avec les Citadelles a été difficile. Michel n'avait pas oublié l'épisode du *meeting* au restaurant et notre relation a tourné au vinaigre. C'est moi qui ai mangé toute la merde parce que Michel aurait souhaité que je me serve de mon leadership dans le vestiaire pour mettre fin à la contestation. Et ses attentes étaient bien légitimes parce qu'il m'avait donné un statut particulier au sein de l'équipe. Maintenant, il ne me faisait presque plus jouer et de mon côté, je n'avais plus envie de me défoncer pour lui sur la glace. La plupart de mes coéquipiers partageaient ce sentiment. Cette réunion avait vraiment laissé des traces. On n'a d'ailleurs pas tenu longtemps en séries éliminatoires ce printemps-là. Je me suis quand même battu quelques fois, malgré ma main droite qui était en mille miettes. Je n'étais même plus capable de la fermer. Mais il n'était pas question de laisser tomber les gars. On affrontait les violents Flames de St. John's et j'allais faire mon travail jusqu'au bout.

La saison terminée, il restait une année d'option à mon contrat avec les Citadelles. Je n'avais qu'à manifester mon intérêt pour renouveler automatiquement l'entente. Mais ma relation avec Michel était tellement mauvaise que je ne pouvais pas revenir jouer pour lui. Et puis je me sentais de plus en plus usé. Depuis ma blessure à l'épaule l'automne précédent, je ne pouvais plus me battre avec autant d'efficacité, ni m'entraîner aussi fort qu'avant. Mes *black-outs* étaient devenus épouvantables. Et j'avais les mains complètement finies. Je n'étais vraiment pas en *shape.*

Le Canadien a embauché d'autres hommes forts au cours de l'été, P.J. Stock et Enrico Ciccone, et ça allait être mon coup de grâce. J'étais profondément découragé, il m'arrivait de penser au suicide. Comme je voyais que mes chances d'être rappelé à Montréal s'amincissaient, j'ai décidé de ne pas prendre mon option avec les Citadelles. De toute façon, je me demandais si j'allais tenir le coup physiquement.

Entre-temps, un de mes bons amis de Houston m'a appelé des États-Unis pour m'offrir un poste de joueur, entraîneur adjoint et actionnaire d'une équipe de la *Western Professionnal Hockey League* qu'il venait d'acheter à Lake Charles, en Louisiane. Il m'offrait 100 000 $US par année et il me demandait d'investir seulement 20 000 $. Un bon *deal.* Je pouvais me le permettre car j'avais réussi à mettre un peu d'argent de côté. Il m'a envoyé un contrat par la poste et mon agent Paul Corbeil a rempli tous les documents officiels.

J'ai eu aussi quelques contacts avec des équipes de la LNH. Par exemple, j'ai parlé au directeur général du Wild du Minnesota, Doug Risebrough, et le *coach* des Canucks de Vancouver, Marc Crawford, m'a téléphoné pour m'inviter au camp d'entraînement. Je savais cependant que je n'étais qu'une solution temporaire à ses yeux parce que Donald Brashear était en grève. J'étais convaincu qu'il me renverrait rapidement dans les mineures au retour de Donald, qui était l'un des meilleurs bagarreurs de la Ligue. Je n'ai pas donné suite à son appel. Mon idée était faite. L'offre de Skip Westfall, un gars en qui j'avais confiance et qui m'avait hébergé à Houston après mon opération aux genoux, m'apparaissait irrésistible. La *Western Professionnal Hockey League* pouvait se comparer à la *East Coast League*, mais j'avais la chance d'y faire mes classes comme entraîneur tout en étant propriétaire et en continuant de jouer. C'était aussi une fuite en avant, un coup de tête parce que j'avais été amèrement déçu de ne plus être dans les plans du Canadien.

J'ai vendu la maison, ramassé mes affaires et suis parti en douce avec ma petite famille à la fin d'août 2000, sans prévenir personne à part mes proches. Dans mon esprit, on partait s'établir en Louisiane pour la vie. Nancy ne cessait pourtant de me répéter qu'elle n'avait pas confiance en Westfall, un vendeur d'ordinateurs, grand fan de hockey. Elle ne comprenait pas ma décision. Elle voulait rester au Québec où elle vivait enfin à plein temps depuis deux ans. Mais je n'étais pas moi-même dans ce temps-là. J'avais l'âme meurtrie et ça m'empêchait de voir clair.

On a même quitté le Québec bien avant le début de la saison à Lake Charles parce que je ne voulais pas être dans les environs quand commencerait le camp d'entraînement du Canadien. Je ne voulais pas que quelqu'un me téléphone pour me demander pourquoi je n'étais plus avec le club. Et je voulais surtout éviter de dire publiquement des bêtises contre l'organisation, ce qui aurait pu se produire tellement j'étais amer. J'avais été si fier de jouer pour le Canadien de Montréal que je ne voulais pas décevoir Réjean Houle, encore moins m'en faire un ennemi.

J'ai vu que les choses ne tournaient pas rond à Lake Charles dès mon arrivée. L'entraîneur ne savait même pas que j'étais l'un des propriétaires et il fallait que je garde le secret. Le calibre de jeu était archi-pourri. Mon premier chèque de paye a rebondi à la banque. Après deux ou trois semaines, j'ai appris que les employés n'avaient pas été payés, eux non plus. On a disputé quelques matchs, mais ça ne me tentait pas, c'était tout croche. Je me revoyais quand j'avais 19 ans, dans les mineures, mais c'était encore pire que la *East Coast*.

Un homme d'affaires de Houston qui avait investi 50 000 $ dans le club a convoqué un *meeting* pour mettre les choses au clair. J'ai finalement avoué que j'étais actionnaire, moi aussi. On s'est rendu compte que Westfall avait fraudé tout le monde. Il nous avait livré de faux certificats d'actions et détourné un demi-million de dollars. Les principaux actionnaires ont décidé de le poursuivre en justice, alors que Westfall continuait de tout nier. Je lui ai parlé entre quat'z'yeux et lui ai demandé de me rembourser la somme que j'avais investie. Il m'a fait un chèque et on est rentrés au Québec à peine quelques semaines après notre départ pour la Louisiane. Une semaine plus tard, évidemment, le chèque a rebondi. Je n'ai jamais récupéré mon argent. Je venais de perdre 20 000 $ et une saison de hockey. L'équipe a cessé ses activités et j'ai suivi le procès dans les journaux.

Je me suis retrouvé les mains vides. Je n'avais plus de maison, je n'étais pas en forme et j'avais le moral complètement à terre. Je ne savais plus quoi faire. J'avais un peu d'argent, mais je ne savais pas où j'allais aboutir. Je voulais continuer à jouer, mais je n'avais pas envie de me retrouver dans la Ligue semi-professionnelle du Québec. Comme on n'avait nulle part où habiter, le « doc » Tousignant et Denise, avec qui j'avais toujours gardé le contact, ont été assez bons pour nous accueillir chez eux, à Shawinigan, pendant un mois. C'était toute une chute dans mon *standing* de passer de joueur du Canadien avec une belle grande maison à Trois-Rivières, à chômeur hébergé par sa famille d'adoption des rangs junior.

J'ai étudié mes options. J'avais eu quelques offres en Allemagne et en Angleterre, et j'ai demandé à mon agent Paul Corbeil de rappeler les équipes qui avaient manifesté de l'intérêt pour moi. Chris McSorley, que j'avais affronté dans la Ligue internationale, voulait que je me joigne à son club des Knights de Londres. Il me donnait l'équivalent de 60 000 $CAN pour terminer l'année là-bas. Il fallait maintenant que je demande à ma femme de déménager avec moi en Angleterre, après l'avoir entraînée dans le fiasco de la Louisiane qui nous avait coûté notre maison familiale. Nancy n'a pas trouvé ça drôle, d'autant plus que Jeremy commençait la maternelle.

Je me disais que ça pourrait constituer une belle expérience culturelle. Je n'étais jamais allé en Europe, Nancy non plus. Je me suis d'abord rendu seul en Angleterre au début du mois de novembre et ma famille a suivi une semaine plus tard. Ils nous ont fourni un appartement au bord de la Tamise. Le système scolaire n'était pas idéal pour Jeremy, mais on a profité de notre séjour là-bas pour découvrir l'Europe. On partait visiter des châteaux ou d'autres endroits pittoresques dès qu'on en avait l'occasion.

Les Knights avaient une organisation très professionnelle et le calibre n'était pas mal du tout. Le niveau de jeu se situait entre la Ligue américaine et la *East Coast*. Je me suis beaucoup battu là-bas. Toutes les équipes avaient des *toughs* qui avaient déjà joué dans la Ligue nationale, la Ligue internationale ou la Ligue américaine. Je n'hésitais pas à me battre parce que je voulais montrer que je n'arrivais pas en Angleterre avec la tête enflée ou en touriste fainéant. J'ai pris mon rôle à cœur, je frappais tout le monde. Ça allait vraiment bien.

Peu après mon arrivée en Angleterre, notre équipe est allée en Finlande pour disputer un tournoi international contre d'autres équipes européennes, dont une formation russe. C'était un rêve pour moi d'affronter les Russes et j'ai même marqué contre eux. J'avais des ailes et j'oubliais mes bobos, même si j'avais des *black-outs* à presque tous les matchs et que je ressentais fréquemment des maux de tête. Je me disais que j'étais en train de m'ouvrir des portes en Europe pour la saison suivante. J'avais du temps de glace avec les Knights et je me sentais apprécié.

Quelques mois après mon arrivée à Londres, au début de février, un énième coup de bâton à la tête allait faire basculer ma vie. Le match avait lieu à Cardiff. J'étais encore ébranlé du match précédent, alors que ma tête avait cogné contre la baie vitrée à la suite d'une mise en échec. J'étais à la mise en jeu, mon opposant a soulevé mon bâton et m'a atteint directement sur la tempe. Je ne me souviens plus de la suite, on me l'a racontée. Il paraît que j'ai perdu connaissance pendant une trentaine de minutes sur la glace. Quand je me suis réveillé, j'étais dans une salle d'examen à l'hôpital, avec un médecin et une infirmière que je ne connaissais pas. Je paniquais un peu.

J'ai ensuite vu Chris McSorley (le frère de Marty, tristement célèbre pour son coup de bâton à la tête de Donald Brashear). Le match était terminé et il venait me chercher. Il m'a dit qu'on avait gagné et m'a demandé si j'étais correct. Je lui ai répondu que ça allait. Il m'a dit qu'il avait vu la reprise sur vidéo et que ça ne semblait pas un coup si violent. Je voulais jouer au *tough* et suis monté dans l'autobus de l'équipe comme si de rien n'était, mais ça n'allait pas bien du tout. Vraiment pas. J'avais le cœur à l'envers, je vomissais, j'avais terriblement mal à la tête. Je suis rentré à la maison, Nancy m'attendait à la porte avec Jeremy. Je lui ai avoué que j'avais eu une «petite» commotion. Je ne voulais pas l'inquiéter.

Je me suis rendu à l'aréna le lendemain parce que je voulais quand même participer à l'entraînement sur glace. Dès mes premiers coups de patin, je me suis rendu compte que j'étais incapable d'avancer. J'avais perdu tout sens de l'équilibre, tout synchronisme. Je me disais que ça allait revenir, mais j'ai vomi sur la glace. Chris m'a renvoyé au vestiaire. J'ai été mis au repos pendant plusieurs semaines. J'étais incapable de faire le moindre effort physique. Je ne pouvais même pas faire de bicyclette stationnaire, j'avais trop mal à la tête. Mon comportement commençait à changer. Je devenais plus impatient. Nancy me trouvait bizarre, mais je lui répondais que j'étais de mauvaise humeur à cause de ma blessure.

Elle a décidé de rentrer au Québec avec Jeremy. Je lui ai dit que j'allais terminer la saison et que je les rejoindrais ensuite. Mon état ne s'améliorait pas. Je me rendais compte, en rentrant dans le vestiaire, que j'étais incapable de me souvenir du prénom de mes coéquipiers même si je jouais avec eux depuis des mois. J'étais obligé de regarder leur nom inscrit sur une plaque au-dessus de leur casier pour m'aider.

Ça m'a toutefois pris plusieurs semaines avant de me rendre compte que j'avais perdu beaucoup de mémoire. Le club a alors décidé de m'envoyer consulter un spécialiste. Mais les médecins anglais ne m'inspiraient pas autant confiance dans ce domaine que ceux d'Amérique du Nord. J'ai préféré m'adresser aux médecins du Canadien. J'avais quitté l'équipe, mais je savais que cette organisation traitait tous ses joueurs, actuels ou anciens, comme des membres de sa famille. J'étais sûr qu'ils pourraient m'aider. J'ai appelé le soigneur Graham Rynbend qui m'a refilé le numéro de téléphone de David Mulder. Le Dr Mulder m'a dit de rentrer immédiatement à Montréal et qu'il allait s'occuper de moi.

Le médecin m'a envoyé voir la grande spécialiste mondiale des traumatismes crâniens, la neurologue Karen Johnston, dont le bureau se trouve à Montréal. Elle m'a soumis à une série d'examens. J'entretenais toujours l'espoir de pouvoir revenir au jeu avec les Knights avant la fin de la saison. J'étais tellement mal en point que je me suis endormi pendant un de ses tests! Elle voulait savoir combien de commotions j'avais subies au cours de ma carrière. Je lui ai demandé ce que signifiait exactement une commotion cérébrale, si ça s'accompagnait automatiquement d'un évanouissement. Elle m'a répondu: «Non, pas du tout. Un athlète fait une commotion cérébrale à chaque fois qu'il perd contact avec la réalité, ne serait-ce qu'une fraction de seconde...»

Elle m'a arrêté de compter à 20 commotions. Je suis allé la consulter souvent par la suite. Elle m'a fait comprendre que les résultats des tests étaient mauvais et que je devrais peut-être penser à mettre fin à ma carrière. Calmement, gentiment, elle m'a dit de songer à ma famille, parce que je risquais de me retrouver handicapé pour le reste de mes jours si je subissais d'autres commotions cérébrales. À partir de ce moment-là, tu te demandes ce que tu vas faire dans la vie. J'avais seulement 28 ans, je n'avais plus de travail, j'étais malade…

On a loué une maison à Trois-Rivières et j'ai passé six mois à ne rien faire, à essayer de me rétablir. Ces six mois ont été les pires de ma vie. Je n'avais plus rien. Je ne pouvais plus faire ce que j'aimais et que j'avais toujours fait. Je me remettais en question. J'aurais payé pour me battre de nouveau sur la glace. Je n'avais plus de but dans la vie. Mettre mon équipement, patiner, suer, parler aux gars après la pratique, me faire applaudir après une bagarre ou une bonne mise en échec, je n'avais plus rien de tout ça. Je ressentais un vide énorme. Tout venait de s'écrouler du jour au lendemain. J'étais fini. J'ai pleuré comme un enfant pendant la première semaine de ma retraite. Je n'avais plus rien, aucune porte de sortie. Si je retournais jouer, je mettais en danger non seulement mon existence, mais bien l'avenir de ma famille.

Chapitre 11

Mon retour à la vie « normale »

J'ai souffert de ce dernier accident pendant au moins un an. Je ne faisais que jouer avec mon petit garçon pendant une quinzaine de minutes et je me sentais mal. La musique, même si elle n'était pas forte, me résonnait dans le crâne. Tous les sons aigus m'affectaient. J'étais sensible à la lumière du jour. J'étais vraiment mal en point.

Ma dépendance aux Sudafed et aux Ripped Fuel a continué après ma carrière au hockey. J'en avais besoin pour fonctionner, même si je savais que c'était très mauvais pour ma santé. Nancy me disait : « Tu ne joues plus au hockey, pourquoi tu prends encore cette cochonnerie-là ? Voyons, tu vas sauter à un moment donné… » Il faut dire que Nancy a été très patiente pendant toute ma carrière et surtout durant cette période-là. Elle n'a jamais cessé de me soutenir, même si ça n'était pas toujours facile, j'en suis sûr.

Mais la dope, je continuais à en rire, je ne prenais pas ça au sérieux. C'était comme du bonbon pour moi. Quand ils ont cessé de vendre des Ripped Fuel au Canada, j'ai demandé à un ami de m'en acheter aux États-Unis. Même quand j'ai recommencé à travailler, j'en prenais pour faire mes journées. C'est grave.

Après ma convalescence, un ami m'a proposé de me lancer en affaires avec lui. Il me restait des économies et on a acheté le restaurant *Le Four*, à Saint-Hyacinthe. Ce projet m'a sauvé. Il m'a donné un nouvel objectif. Après m'être investi entièrement dans le hockey depuis mon plus jeune âge, je reprenais goût à la vie grâce à ce défi. Ça m'a aussi permis de réaliser mon vieux rêve de posséder mon propre restaurant, comme la vedette des Capitals de Washington, Rod Langway, que j'enviais à l'époque. Depuis, j'ai fait l'acquisition de quelques autres commerces, des bars et des restaurants. J'ai travaillé très fort, souvent des journées de vingt heures. Ça porte ses fruits aujourd'hui.

Je n'aurais sans doute jamais pu réussir aussi bien en affaires si je n'avais pas joué dans la Ligue nationale. En plus de la mise de fonds initiale qu'il m'a procurée, le hockey m'a permis de me faire un nom et je dois tout à mon sport. Ça a été mon école de vie. Malgré mes erreurs, j'y ai appris la discipline, la ténacité, la loyauté, et ça m'a fait voir du pays, rencontrer des gens intéressants.

Mais à quel prix? Je conserve encore aujourd'hui, quatre ans après ma retraite, des séquelles de mon mode de vie de hockeyeur professionnel. J'ai mal partout chaque fois que le temps est humide. Parfois, je ne suis même plus capable de marcher à cause des cochonneries que j'ai prises. J'ai encore des brûlures d'estomac à cause des pilules. Je dois prendre des médicaments pour combattre la nausée. Je suis encore sensible à la lumière du jour et aux sons aigus…

Est-ce que je m'attends à vivre vieux? Certainement pas. Ma femme n'aime pas m'entendre dire ça, mais c'est la réalité. Quand tu vois autant de jeunes athlètes mourir dans la force de l'âge, des footballeurs, des cyclistes, des sprinteurs, des joueurs de hockey aussi, tu te poses des questions. Mes amis hockeyeurs sont-ils morts à cause des Sudafed ou des Ripped Fuel qu'ils consommaient? Sergei Zholtok, mort d'une crise cardiaque à l'automne 2004 pendant un match, en prenait, lui aussi. Y a-t-il un rapport? Je ne sais pas, je ne suis pas médecin. Et à quelle fréquence en prenait-il? Une de temps en temps? Une par match? Quatre par match? Je ne lui ai jamais demandé. Ça ne se demande pas, ces choses-là. Chacun fait sa petite affaire, sans se cacher ni se vanter. Mais je me répète, et c'est important de se mettre dans le contexte, c'était normal pour nous d'en prendre. Ces produits n'étaient pas interdits et on pouvait les retrouver dans toutes les pharmacies, les gymnases et les centres de santé. Ce n'était pas de la dope.

Pour ma part, je l'avoue ici, j'en ai pris toute ma carrière — en plus des stéroïdes — et maintenant, je suis inquiet. Chaque fois que j'ai des douleurs à la poitrine, je me pose des questions. Mes douleurs à l'estomac, aux os ou aux articulations ne me dérangent pas. Mes maux de tête pourraient être pires. Mais penser que, du jour au lendemain, mon cœur pourrait flancher, c'est ce qui me fait le plus réfléchir. J'assume ce que j'ai fait et je suis prêt à en payer le prix. Ce qui me rassure un peu, c'est que mes examens médicaux passés ces dernières années ne montrent rien d'anormal. Et je peux continuer à jouer au hockey dans des ligues récréatives.

Quand je pense à mes enfants, en revanche, ça me fait peur. Jeremy a 9 ans et Zack, 14 mois. Il m'arrive souvent de me demander ce qu'ils vont faire si je meurs d'une crise cardiaque demain matin. Est-ce que le risque en valait la peine ? Je connaissais vaguement les conséquences de mes actes. Je ne voulais pas vraiment le savoir. J'étais prêt à payer le prix. Je voulais offrir le meilleur rendement possible sur-le-champ. Mais aujourd'hui, à 33 ans, avec une femme et deux jeunes enfants, ma carrière sportive terminée, je vois ça différemment. Ça n'est plus drôle du tout. Autrefois, même si j'avais souvent mal, je trouvais ça le fun, je me défonçais avec plaisir sur la glace. Maintenant, j'ai peur. Et je veux que mon témoignage serve d'exemple.

Ce qui m'a réveillé, c'est un reportage de Jean-François Bégin et Réjean Tremblay, dans *La Presse*, sur la consommation de stimulants dans le hockey junior majeur québécois, publié à l'automne 2003. Ça m'a enfin ouvert les yeux. J'ai compris que j'avais été naïf, faible malgré mes airs de *tough*. J'étais tombé dans l'enfer de la dépendance simplement pour faire comme les autres, pour répondre aux attentes du système qui m'imposait cette pression, qui me demandait d'être fort et dynamique pour me battre. Après dix ans de consommation, je me suis dit que c'était assez. Je ne jouais plus au hockey, après tout.

Je ne cherche surtout pas à salir mon sport en témoignant dans ce livre, ni à montrer du doigt des individus comme l'a fait récemment le joueur de baseball Jose Canseco. Je veux plutôt apporter ma petite contribution pour que cessent ces pratiques dangereuses, nocives pour la santé. Il y avait des stéroïdes avant moi, et il y en aura encore après. Le système fait en sorte que les jeunes sont prêts à tout pour offrir un rendement maximum. Mais tu hypothèques ta santé, ta vie. Ça donne quoi, en fin de compte? De beaux souvenirs, certainement, mais à ta retraite, à 25, 30 ou 35 ans, tu te dis «je suis fini». Est-ce que ça vaut la peine de risquer sa vie pour jouer au hockey? Si je n'avais pas pris des stéroïdes, j'aurais peut-être eu une carrière plus intéressante, sans doute plus longue. Je n'aurais certainement pas subi autant de blessures aux genoux parce que j'étais devenu trop lourd pour ce que mes articulations pouvaient supporter.

Dans la foulée du scandale dévoilé par *La Presse,* la Ligue de hockey junior majeur du Québec a innové l'an dernier, en instaurant une politique antidopage. C'est un premier pas. Si j'avais été testé à mes débuts chez les professionnels, je n'aurais peut-être pas emprunté cette voie. N'empêche qu'on peut toujours déjouer le système. Il faut beaucoup plus qu'un programme antidrogue pour éliminer ce fléau, on le voit bien dans tous les scandales qui éclaboussent la plupart des sports de haut niveau. L'important, à mon avis, c'est que les athlètes soient conscients des risques qu'ils prennent, souvent très jeunes, quand ils ont recours à ces substances dans l'espoir de réussir leur carrière. Si je peux convaincre seulement un jeune de ne pas suivre ma trace, j'aurai atteint mon but en me confiant à Mathias, et ce sera déjà une victoire.

Épilogue

Ce récit confirme ce que nous savions déjà des rouages du dopage dans le sport ; le hockey n'y échappe pas.

Un jeune de 19 ans, le corps neuf et fort, invincible et éternel à ses yeux, décide d'imiter ses modèles et adopte ce qu'il pressent être une pratique courante. Les dopes, il les trouvera sans grande difficulté. Sur les conseils de culturistes et de son *pusher* — qui lui révèle sa liste de clientèle, sprinteurs dopés et autres athlètes de haut niveau, amateurs comme professionnels —, il entamera un premier « cycle » de stéroïdes, testostérone et stanozolol, qui marquera le début des crampes musculaires, maux de jambes et de tête qui ne le quitteront plus.

Il sera un dur à cuire, car il croit que c'est « sa porte d'entrée dans la Ligue nationale », ce qu'il sait faire le mieux. Il se dopera car ses pairs, les *toughs* et même les compteurs, tous le font. Pilules de stimulants avalées avant les matchs, puis tous les jours, il ne pourra plus s'en passer. Maux d'estomac, arythmie. Il lui faut être fort et impressionnant, gros de muscles et non de graisse car sa carrière, sa longévité et son salaire en dépendent. Il prendra des suppléments, des protéines, des *fat burners*. En fonction de ses moyens ce sera soit les Sudafed gratuits, soit les Ripped Fuel des élégants professionnels. Pris de crises de boulimie, il se fera vomir après « avoir vidé le frigo ». Et toujours, chaque été, un cycle d'injections de stanozolol. Il abandonnera la testostérone car la bouteille porte une contre-indication qui l'effraiera : la possible perte de ses cheveux…

Les coups, les blessures, les commotions cérébrales, les médicaments et le dopage auront raison de son corps et mettront fin à sa carrière. Il restera accroché à l'éphédrine et à la caféine.

Dave Morissette n'est pas un monstre parce qu'il se dopait. Il n'était pas un tricheur, car il respectait les règles implicites du milieu. Il faisait comme les autres. D'ailleurs, il n'y avait aucune mise en garde, aucune éducation ni politique de contrôle du dopage dans aucune des ligues mineures et professionnelles au sein desquelles il a joué. Personne ne lui posait de questions.

Certains dénigrent les programmes antidopage en les décrivant comme des interventions paternalistes et inutiles, voire dangereuses, car les athlètes qui les subissent pourraient avoir recours à des substances indétectables, potentiellement plus nocives.

On a vraiment dit n'importe quoi à Dave Morissette, et il n'a pas cherché à s'informer adéquatement. Même la mort de John Kordic — surdose de cocaïne, bien sûr, mais également abus de stéroïdes — qu'il avait pourtant côtoyé, ne l'incitera pas à chercher à en savoir plus. Est-ce cela que l'on appelle des décisions libres et éclairées d'adulte consentant? Dave nous dit lui-même, à la fin de son récit, déplorer qu'il n'ait pas existé de programme antidopage pour l'arrêter de poursuivre dans cette voie.

Voilà ce qu'il nous faut faire maintenant. Peu importe qui a fait quoi ou ne l'a pas fait, qui était là ou n'y était pas, qui n'a pas parlé, qui n'a pas voulu voir. Ne cherchons pas des coupables, mais plutôt des solutions. Elles sont relativement simples et ne demandent que le courage de remettre en question les anciennes façons de faire, ou plutôt de ne rien faire. Au lieu de blâmer, donnons plutôt l'information et les moyens d'intervenir à ceux qui entourent tous les jeunes Dave que nous n'avons pas le droit d'abandonner. Et il y a des tas de raisons d'être optimistes, d'avoir confiance que nous saurons enfin atteindre nos jeunes et les informer convenablement.

Les récents scandales, notamment celui entourant l'incroyable système de dopage des athlètes qui avaient recours aux services des laboratoires Balco, ont enfin eu raison des dernières réticences aux États-Unis et dans le sport professionnel. Dans les sports dits amateurs, les athlètes se prononcent contre le dopage et le dénoncent de plus en plus. Des fédérations sportives, le Comité international olympique, 80 pays et des organisations antidopage nationales ont entériné le Code mondial antidopage de l'Agence mondiale antidopage. Plus qu'un symbole, une obligation de résultats.

Natasha Llorens, criminologue à la GRC, a mis sur pied, il y a quelques années, un programme d'éducation, d'encadrement, d'intervention et de parrainage dans les équipes midget AAA, programme auquel collaborent entièrement les dirigeants de la ligue ainsi que la GRC et les corps policiers du Québec.

Nous avons posé la première pierre: l'éducation et la formation des gens appelés à encadrer les joueurs, c'est-à-dire les entraîneurs, les médecins et les propriétaires d'équipes. Dans ces deux ligues — midget AAA et LHJMQ — on effectue maintenant des tests en nombre symbolique. La détermination des dirigeants de ligues et de Hockey Québec devrait venir à bout de l'inertie des autres ligues du Canada, notamment en Ontario.

Quant aux ligues majeures professionnelles, de hockey, de baseball et de football, bien que quelques dinosaures s'y trouvent toujours, on remarque depuis le début de 2004 des progrès stupéfiants pour qui connaît leurs réticences maintes fois exprimées par le passé. Le *Major League Baseball* mène, conjointement avec l'Association des joueurs, un programme antidopage ratifié par les deux parties à la dernière entente. Sous la pression des journalistes, des politiciens et de l'opinion publique, on a même modifié cette politique pour lui donner plus de mordant cette année. Nous assistons à un virage à 180 degrés des mentalités, enfin.

Il y a ouverture à la LNH et à l'Association des joueurs, de discussions ayant eu lieu avec l'Agence mondiale antidopage. La Coupe du monde de 2004 a été l'occasion des premiers tests systématiques au hockey professionnel nord-américain.

Ainsi donc, nous ne pouvons plus refuser de voir sous prétexte que les solutions semblent inaccessibles. Éloignons enfin de nos enfants et de nos sportifs tous ces gourous, nutritionnistes de la dope et propagateurs d'une pseudoscience fondée sur l'opportunisme, l'appât du gain et l'ignorance.

Christiane Ayotte, Ph.D.
Professeur et Directrice du laboratoire
de contrôle du dopage
INRS-Institut Armand-Frappier

Notes explicatives et lexique

de Christiane Ayotte, Ph.D.
Professeur et Directrice du laboratoire de contrôle du dopage
INRS-Institut Armand-Frappier

Le dopage sportif et la loi

Pour le Comité international olympique, l'Agence mondiale antidopage, les fédérations sportives internationales et 80 gouvernements, dont celui du Canada, ayant adhéré au Code mondial antidopage, on se dope lorsque l'on fait usage de substances ou de méthodes figurant sur la liste des interdictions. On contrevient aux règles lorsque l'on possède des substances ou outils de méthodes interdits, lorsque l'on importe, distribue ou administre des produits dopants[1].

Le dopage sportif n'est pas illégal au Canada ni aux États-Unis. Il l'est depuis quelques années en Italie. Au Canada, posséder des stéroïdes anabolisants ou des stimulants à base d'éphédrine pour usage personnel n'est pas illégal ; l'importation et le trafic, toutefois, sont illégaux.

Le dopage aux stéroïdes et stimulants ne contrevenait pas aux règles du hockey professionnel, « sport spectacle », ni à celles des ligues mineures ou de la LHJMQ au temps où Dave Morissette y jouait. Aucun programme de contrôle du dopage n'était même considéré à l'époque. On ne s'occupait que des drogues d'abus et des stupéfiants comme la cocaïne.

---

1. Code mondial antidopage, Agence mondiale antidopage (2003), www.wada-ama.org.

La situation a évolué rapidement ces dernières années : un programme est maintenant en place dans les ligues midget AAA, et depuis 2004 à la LHJMQ[2]. Des tests ont été effectués lors de la Coupe du monde de hockey (LNH) en 2004. Le baseball professionnel s'est rendu à l'évidence et a également inclus un programme de contrôle du dopage dans l'entente avec ses joueurs en 2003.

Voici quelques explications sur les substances et produits dopants dont il est question dans ce livre

Caféine : Substance qui se retrouve naturellement dans le café, le thé et le chocolat, ainsi que dans les produits à base de *Guarana*, *Yerba Maté* et *Cola*, comme certaines boissons gazeuses. La teneur en caféine des aliments et boissons varie de 30 à 150 mg par portion. Stimulant léger du système nerveux central, c'est l'une des dopes les plus répandues dans le monde.

Des comprimés à haute teneur en caféine, soit 200 mg, sont disponibles commercialement au Canada (Caffeine 200, NoDoz, Alert Aid, Pep-back, Thermostim, Wake ups) et accessibles comme stimulant aux étudiants, médecins, sportifs, et camionneurs au long cours.

Les effets secondaires indésirables sont principalement reliés à l'emploi de fortes doses : insomnie, nervosité, tremblements, maux de tête, tachycardie sinusale, nausée, vomissements, douleur épigastrique. Les symptômes de sevrage à la suite de l'arrêt brutal d'une consommation prolongée sont bien connus : anxiété, irritabilité, agitation, maux de tête. L'utilisation de la caféine était réglementée (seuil limite de 12 microgrammes par millilitre d'urine) dans le sport jusqu'en 2004, année où l'Agence mondiale antidopage l'a retirée de la liste des interdictions.

Créatine : Acide aminé présent dans le corps humain, produit par celui-ci sous forme de phosphate de créatine (muscles) et fourni par l'alimentation (volaille, viande, poisson).

---

2. http://www.lhjmq.qc.ca – Point de presse de Gilles Courteau, 4 juin 2004.

La prise de suppléments de créatine est l'une des pratiques les plus prisées des sportifs (incluant ceux du dimanche). Les études semblent indiquer une augmentation de la performance (pourrait régénérer la phosphocréatine et renouveler l'ATP) lors d'exercices épisodiques anaérobiques intenses (football, hockey, haltérophilie). En revanche, la supplémentation en créatine est inutile dans le cas des activités d'endurance. On en surestime les propriétés et les attentes des sportifs sont irréalistes. L'augmentation de la masse musculaire par rapport à la masse adipeuse est faible et pourrait n'être due qu'à l'accumulation d'eau dans les muscles.

La créatine ne figure pas sur la liste d'interdictions de l'Agence mondiale antidopage et ses effets secondaires indésirables semblent relativement bénins (crampes, problèmes gastro-intestinaux, déshydratation) chez les personnes ne souffrant pas d'insuffisance rénale, selon l'état actuel des connaissances à ce chapitre et sous réserve des conclusions des études en cours sur l'impact de l'utilisation de fortes doses à long terme.

Malgré tout, des tests ont démontré que près de la moitié des suppléments de créatine — particulièrement ceux qui ne se présentent pas sous forme de poudre standardisée — n'étaient pas conformes aux normes : soit qu'ils ne contenaient tout simplement pas de créatine, soit qu'ils étaient contaminés par la créatinine et la dicyandinamide, notamment, ce qui pose un problème car la créatine est généralement consommée à très fortes doses (jusqu'à 20 g par jour — 16 c. à soupe les premiers jours).

Éphédrine : (Synonymes : *MaHuang, Ephedra.*) Les alcaloïdes de l'*Éphédra sinica,* dont l'éphédrine, produisent, comme tout sympathomimétique, une augmentation de la pression sanguine et du rythme cardiaque. La prise régulière de ces produits présente un risque pour la santé qui excède de loin les bénéfices, attendus ou réels, pour la performance athlétique ou la perte de poids. L'éphédrine peut provoquer l'insomnie et la tachycardie, de même que des problèmes de santé importants au niveau cardiaque et du système nerveux central, incluant de l'arythmie chez les personnes dites «à risque», des palpitations, et même des accidents vasculo-cérébraux et des crises cardiaques pouvant entraîner la mort. Ces faits sont tirés de l'étude de plus d'une centaine de cas ayant été rapportés aux États-Unis dès la fin des années 1990. En raison de l'absence d'un contrôle rigoureux de la qualité de ces produits, il s'en est retrouvé sur le marché dont la teneur pouvait différer sensiblement de ce qui était annoncé sur l'étiquette.

On peut consulter la mise en garde de Santé Canada de 2003 sur le site http://www.hc-sc.gc.ca/francais/protection/mises_garde/2003/2003_43.htm, ainsi que les avis de la *Food and Drug Administration* des États-Unis, qui a annoncé l'interdiction de distribution en février 2004, sur http://www.cfsan.fda.gov/~dms/ds-ephed.html, où se trouve présenté un dossier complet sur ce sujet.

Notons toutefois que des produits commerciaux à base d'éphédrine simple, en concentration de 8 mg par comprimé, sont toujours disponibles au Canada. L'éphédrine figure sur la liste des interdictions de l'Agence mondiale antidopage.

Glutamine: Supplément/complément alimentaire très populaire, même si les études ne semblent pas montrer d'effets augmentant la performance. Certains sportifs en font usage pour prévenir la carence en glutamine pouvant résulter du surentraînement. La glutamine est un acide aminé très abondant dans le corps humain, où elle joue plusieurs rôles importants. Elle est présente notamment dans la volaille, les viandes, les produits laitiers, les céréales et les légumineuses. Le corps produit normalement toute la glutamine dont il a besoin (sauf dans certaines conditions résultant d'un stress physique important comme les brûlures, blessures et chirurgies). Cependant, l'efficacité réelle de tels suppléments de glutamine pour la prévention des infections suivant l'affaissement des défenses immunitaires qui résulte du surentraînement reste à démontrer sans ambiguïté. Toute référence, sur l'étiquetage, à la stimulation de la sécrétion d'hormone de croissance, au piégeage de radicaux libres ou à la purification/détoxification des cellules est fausse.

Pseudoéphédrine: Alcaloïde de l'*Ephedra* tout comme l'éphédrine, elle est utilisée en médecine pour contrôler les symptômes du rhume et des états grippaux, comme décongestif nasal seul ou en combinaison avec des anti-histaminiques (allergies), des anti-tussifs ou des analgésiques (par exemple, l'acétaminophène). Des centaines de préparations pharmaceutiques contiennent de la pseudoéphédrine et sont disponibles en pharmacie sans ordonnance médicale. Ce qui n'en fait pas un produit totalement dénué d'effets secondaires indésirables dont les plus fréquents sont l'insomnie, les maux de tête, la tachycardie, les palpitations, les vertiges, la nausée, les vomissements, l'hyper-sudation, les tremblements et la faiblesse musculaire.

Des sportifs abusent de la pseudoéphédrine pour ses effets stimulants et énergisants, ainsi que pour sa grande disponibilité à un coût économique. La pseudoéphédrine est l'ingrédient actif de la marque commerciale Sudafed dont un article du *Sports Illustrated*[3], publié en 1998, décrivait l'abus par près d'un joueur sur cinq de la Ligue nationale de hockey. La pseudoéphédrine, dont l'utilisation était bannie auparavant chez les sportifs en compétition (et non en tout autre temps), a été retirée de la liste des interdictions par l'Agence mondiale antidopage en 2004.

Ripped Fuel ® : Marque de commerce d'un « complément alimentaire » non pharmaceutique, non réglementé, contenant de la caféine et de l'éphédrine, qui est vendu comme énergisant, coupe-faim, brûleur de graisse et accélérateur métabolique. En 2002, Santé Canada a interdit la vente de tels produits en limitant la teneur en éphédrine à moins de 8 mg par dose (total de 32 mg par jour). Il faudra attendre 2004 pour que la *Food and Drug Administration* américaine retire ces produits du marché. Autres marques similaires : Xénadrine®, Hydroxycut®. Les effets secondaires de ces préparations à dosage élevé de caféine et d'éphédrine sont nombreux (voir les sections éphédrine et caféine). Il semble que la combinaison augmente le potentiel de dangerosité.

Depuis l'interdiction de la vente de produits contenant de l'éphédrine, le Ripped Fuel contient essentiellement de la caféine en concentration accrue, sous forme de *Guarana*, thés et autres.

---

3. Michael Farber, « Hockey's Little Helpers », *Sports Illustrated*, 28 janvier 1998.

Testostérone : Stéroïde androgène (règle l'apparition et le maintien des caractéristiques secondaires masculines) et anabolisant (favorise la synthèse protéique et la constitution de tissus organiques comme les muscles), la testostérone est naturellement présente chez l'homme. Elle est disponible en multiples préparations pharmaceutiques sur ordonnance médicale servant à traiter les problèmes associés aux carences en testostérone (hypogonadisme). C'est aussi l'un des stéroïdes dont les sportifs abusent le plus fréquemment. La prise de testostérone n'est efficace qu'en injections intramusculaires de dérivés *esters* (énanthate, décanoate, cipionate, propionate, phenylpropionate, etc.).

Selon la dose, souvent supra-physiologique (c'est-à-dire excédant ce qui est considéré comme normal chez l'homme), et la fréquence d'utilisation, les effets secondaires de l'abus de testostérone sont divers : accessoires ou très sérieux, permanents ou réversibles à l'interruption de consommation. Citons parmi ces effets l'œdème, la prise de poids, l'acné, la perte des cheveux, l'augmentation de la libido, le priapisme, les troubles de la puberté et le retard de croissance chez les adolescents, l'excitabilité psychomotrice, l'irritation et, enfin, la virilisation chez la femme (arrêt des menstruations, baisse du registre de la voix, accroissement de la pilosité, augmentation de la taille du clitoris, etc.).

Chez les hommes, la prise de testostérone entraîne éventuellement l'arrêt (réversible à l'interruption) de la spermatogénèse (donc la stérilité) et de la sécrétion naturelle de testostérone pouvant résulter en atrophie testiculaire. Par ailleurs, la testostérone peut se transformer, s'enrichir en estrogènes aux propriétés « féminisantes » dans les tissus périphériques, d'où l'apparition de gynécomastie, c'est-à-dire de seins chez les utilisateurs réguliers.

Nous avons maintenant la preuve, à la suite de l'ouverture des dossiers de la Stasi et des témoignages d'athlètes, que le programme de développement sportif mis en place dans l'ancienne Allemagne de l'Est, impliquait l'administration de stéroïdes androgènes anabolisants à de toutes jeunes filles. Certaines ont subi des dommages permanents qui ont été révélés lors de procès intentés contre les médecins et entraîneurs responsables. Nous nous souvenons des caricaturales nageuses à la voix rauque et aux épaules gigantesques qui sont venues à Montréal en 1976 pour nager et non chanter, boutade cynique de leur entraîneur en réponse aux questions des journalistes: « *We came here to swim not to sing.* »

Winstrol-V ® : Nom commercial d'une préparation pharmaceutique de stanozolol, un stéroïde anabolisant. Le « V » identifie un produit d'usage vétérinaire dont la teneur, soit 50 mg / ml, est supérieure à celle des préparations pour les humains (qui ne sont plus produites au Canada). En suspension aqueuse, le stanozolol est administré par injection intramusculaire.

Le stanozolol est très populaire chez les utilisateurs d'anabolisants et fut à l'origine du spectaculaire scandale qui secoua le monde de l'athlétisme aux Jeux olympiques de Séoul, en 1988, lorsque la détection de stanozolol dans les échantillons d'urine du sprinteur canadien Ben Johnson entraîna le retrait de sa médaille d'or du 100 mètres.

Les effets secondaires indésirables du stanozolol sont les mêmes que ceux de la testostérone, en plus de l'aggravation des conditions d'hypertension artérielle et d'hépato-toxicité (effets sur le foie et ses fonctions).